« Floréal »

Collection dirigée par

Gilles Ragache

Dans la même collection

C.C. et G. RAGACHE
Les Loups en France
Légendes et réalité

H. LUXARDO
Les Paysans
Les républiques villageoises, X^e-XIXe siècle

J. SANDRIN
Enfants trouvés, enfants ouvriers
XVIIe-XIXe siècle

L. WILLETTE
Le coup d'Etat du 2 décembre 1851
La résistance républicaine au coup d'Etat

Si vous souhaitez être tenu au courant de nos publications,
il vous suffit d'envoyer vos nom et adresse
aux Editions Aubier Montaigne, 13, quai de Conti, 75006 Paris.

ISBN 2-7007-0294-8
ISSN 0293-7476

Serge Bianchi

La révolution
culturelle
de l'an II

Elites et peuple (1789-1799)

Aubier

Plaisirs intimes du souper fin.

I. Elites et bourgeoisie à la veille de la révolution

> « Dans une société ceux qui ont des lumiè-
> res, de l'aisance et de la conscience ne sont
> qu'une petite élite. »
> (H. Taine.)

PARAÎTRE

L'inégalité est la règle dans la société d'Ancien Régime. La hiérarchie des groupes est strictement codifiée ; du monarque à l'indigent, des classifications juridiques établissent une « cascade de mépris ». La coupure fondamentale est celle qui oppose les élites au peuple. Définir les élites c'est déjà mesurer le fossé qui les sépare du peuple.

De nos jours, l'élite se définit par l'aisance matérielle des revenus et patrimoines, l'estime sociale et les avantages de consommation, de santé et de culture. Sous l'Ancien Régime ces facteurs étaient compliqués par les frontières des ordres, des corps et des privilèges de naissance ou de fonction. L'aristocratie de la noblesse et du haut clergé forme l'« élite dirigeante ».

Au XVIIIe siècle le modèle des élites reste la noblesse, stade suprême de l'ascension sociale pour le tiers-état. Des bourgeois vont jusqu'à « vivre noblement », imiter les comportements des nobles. Il leur faut absolument « paraître » en attendant la lettre ou la charge anoblissantes. Paraître, c'est accumuler les signes extérieurs qui distinguent formellement les élites du peuple : le logement, l'habit, le langage, les manières et les mœurs.

Les élites se définissent par l'habitat. Trois pour cent des Parisiens dépassent mille huit cent livres de loyer par an. Il faut posséder un hôtel à Paris et une « folie » (appartement meublé pour l'entretien d'une actrice ou danseuse), plus un château et des terres dans la banlieue pour les réceptions et la chasse. Le XVIIIᵉ siècle voit la multiplication de ces demeures, réalisées par les architectes avec un agencement rationnel des pièces pour le confort des couches supérieures. L'acquisition et l'entretien nécessitent une fortune conséquente. Prenons une famille de financiers du XVIIIᵉ, les Delahaye : le chef de famille devenu fermier général, affirme remonter aux plus anciennes familles de Normandie, bien que sa noblesse soit récente et personnelle. En 1750, son patrimoine immobilier comprend deux hôtels parisiens ; l'un a coûté cent vingt mille livres, l'autre cent mille mais la remise en état, par les meilleurs artistes s'élève à un million de livres. Diderot dispose à la même époque de trois mille cinq cents livres de revenu annuel ; un ouvrier gagne trois cent cinquante livres. En 1751, le fermier général devient seigneur de Draveil, fait construire un superbe château qui vaut avec les jardins quatre cent mille livres. Ses revenus en font l'un des hommes les plus riches et les plus détestés de l'époque.

A l'intérieur, le décor doit correspondre aux normes de l'aristocratie. Les inventaires de succession énumèrent les pièces au mobilier conforme : dans les salons imposants figurent la cheminée monumentale, les tables, fauteuils et chaises de style. Les chambres ont des lits « à la polonaise », « à la tur-

6

que », des coiffeuses modèles. Des tapisseries des Gobelins, des toiles de Jouy, des faïences et des porcelaines de Sèvres abondent. Les élites habitent des quartiers différents : les ducs et pairs rue Saint-Germain-des-Prés, les parlementaires dans le Marais, les fermiers généraux au Palais Royal et à Montmartre ; mais les mobiliers sont identiques et coûteux.

La chambre d'un fermier général

« Chambre à alcove avec deux cabinets tendus en papier vert et blanc, dossier de moire rayée vert et blanc.

Un lit à la polonaise avec housse en moire rayée vert et blanc, le couche complet, couverture et couvre-pied.

Une bergère et six cabriolets avec du velours d'Utrecht vert et blanc.

Une commode avec du bois plaqué et dessus de marbre.

Une table à écrire en noyer.

Un flambeau argenté.

Un pot à eau et sa cuvette en terre anglaise.

Une cuvette de garde-robe, une chaise de nuit et une table de nuit garnie.

Une croisée avec des rideaux de mousseline

Acte notarié, 1790

Consommer

Les élites consomment les biens culturels et les œuvres d'art. Les artistes sont moins considérés que les écrivains au XVIIIᵉ, mais l'essentiel de leur production est réalisé pour les demeures des élites. Les sculpteurs font les motifs et les bas-reliefs des hôtels, les bustes des maîtres des lieux. Les peintres multiplient les portraits en pied, les toiles pieuses pour les chapelles privées, les motifs allégoriques des plafonds. Au château de Draveil une quinzaine d'œuvres marquent les goûts de l'époque : scènes de chasse, natures mortes ou vases fleuris, sujets antiques. Les aristocrates préfèrent les tableaux de Nattier à cinq cents livres la pièce.

L'« honnête homme » doit montrer qu'il se tient au courant de l'évolution des arts et des techniques.

Delahaye possède un cabinet d'astronomie, qu'il n'utilise pas et pose en astronome pour le Salon de 1738. Il a constitué la bibliothèque la plus importante de son groupe social, neuf mille volumes « qu'il ne distinguait pas, qu'il ne lisait jamais et ce pour se donner un air de savant ».

Dans ce cadre raffiné les élites ont des comportements homogènes. Une nombreuse domesticité, reproduisant les usages de la cour, satisfait au train de vie aristocratique. Le duc de La Rochefoucauld-Liancourt, qui présidera la Constituante, emploie trente personnes sur son domaine principal ; Delahaye treize. A Paris et en province, les élites se montrent dans tous les lieux en vogue : l'Opéra — le plus près possible du roi —, les théâtres, les salons. Elles s'étourdissent en réceptions, bals, fêtes réservées aux initiés : moments privilégiés où la haute société se lance dans la recherche effrénée des plaisirs.

Le modèle aristocratique

L'homme d'élite se reconnaît au premier coup d'œil à son habit, critère infaillible de distinction sociale. Le peintre Moreau le Jeune représente dans la *Grande Toilette* le type de l'élégant de la fin du XVIIIe. Les domestiques s'empressent. La perruque blonde, délicatement roulée est éclairée par un jeu

La Grande Toilette, de Moreau le Jeune.

de lumière subtile ; un bicorne est préparé sur la chaise Louis XVI. Un gilet brodé serre le corps et la taille. Le pardessus aux

La toilette des dames du monde

« Le costume des femmes devait naturellement transformer la danse en une espèce de supplice. Des talons étroits, hauts de trois pouces (environ six centimètres) qui mettaient le pied dans une position où l'on est quand on se lève sur la pointe pour atteindre un livre à la plus haute planche d'une bibliothèque ; un panier de baleine lourd et raide, s'étendant à droite et à gauche ; une coiffure d'un pied de haut surmontée d'un bonnet nommé « Pouf », sur lequel les plumes, les fleurs, les diamants étaient les uns sur les autres, une livre de poudre et de pommade, que le moindre mouvement faisait tomber sur les épaules. »

Madame de la Tour du Pin

La tenue des hommes du monde en 1787

« Mais les hommes imaginaient des singularités. D'abord, il fut du bel air absolument d'avoir des gilets à la douzaine, à la centaine même si l'on tenait à donner le ton. On les brodait magnifiquement avec des sujets de chasse et des combats de cavalerie, même des combats sur mer. C'était bizarre ; ils représentaient tantôt des portraits tels que les rois de France, les douze Césars, quelquefois des miniatures de famille ; deux ou trois petits maîtres y mirent les portraits de leurs maîtresses. Les portraits étaient presque larges comme un écu de six livres. Vous jugez à quoi ressemblait un homme ainsi plastronné, mais c'était la mode ! Que répondre à cela ?

Madame d'Oberkirch

manches amples, ornées de boutons précieux, découvre une cravate de dentelles fines et une écharpe de soie. La culotte étroite, fermée par une boucle, prend sous le genou. Les bas blancs, aux raies apparentes mettent en valeur le galbe de la jambe, la finesse du mollet. Les escarpins à talons relevés terminent le portrait. Simplifiée par rapport à 1730, la mode reste coûteuse. La haute bourgeoisie pose avec des vêtements semblables, le livre et l'épée en moins.

L'aristocrate modèle aussi les mœurs et le langage. Tout est affaire de convenance, de respect de l'étiquette. La civilité s'étudie dans des traités complexes. Une gradation de titres et de salutations reproduit la hiérarchie sociale : entre les révérences à Monseigneur et le bonjour à Monsieur les nuances de la politesse mondaine sont infinies. Une éducation commune a donné aux initiés cette supériorité indéfinissable dans le maniement du langage, émaillé de références latines, de sousentendus convenus. Entre le langage des élites et celui du peuple, il y a des siècles d'écart.

La République des lettres

Les signes extérieurs de l'élite ne sont pas réservés aux seuls ordres privilégiés. Au sein de la noblesse (trois cent cinquante à quatre cent mille personnes), des gentilshommes campagnards vivent dans des manoirs pauvres et froids. Certains poussent la charrue, ne possèdent ni mobilier, ni œuvres d'art. Ils sont éloignés des noblesses de cour et de robe. La coupure est plus nette dans le clergé : la minorité aristocratique des évêques, chanoines, abbés, partage les origines, les revenus, le mode de vie des élites ; la majorité des soixante mille curés et vicaires en est exclue, avec des revenus inférieurs à trois mille livres par an. De nombreux privilégiés n'ont donc pas les moyens de paraître.

En revanche, des membres de la bourgeoisie peuvent s'agréger aux élites, en modifier la composition. Ce sont des personnes « à talent », des écrivains, des artistes, des professions libérales. La France est devenue le phare de l'Europe des Lumières dans la seconde moitié du XVIIIe. « Le monde pense français » écrit Rivarol dans son *Discours sur l'universalité de la langue française* ; les œuvres des philosophes et des artistes français sont diffusées dans les capitales européennes. Cette notoriété correspond à la promotion spectaculaire des talents dans la société française. Une « république des lettres » s'est formée, facilitant un brassage culturel entre nobles et bourgeois.

Instruits au château par des précepteurs, les jeunes nobles rejoignent les bourgeois dans les collèges et les universités. Le recrutement des collèges secondaires et supérieurs, déjà élitiste, se restreint encore vers la fin du siècle : leurs cinquante mille élèves proviennent des quelques groupes supérieurs : nobles, officiers, gros marchands, médecins, avocats, notaires (et artisans). Ils reçoivent le même enseignement à base de rhétorique, de belles-lettres et de latin. Les treize mille étudiants répartis dans vingt-cinq universités de théologie, médecine, lettre et droit, démontrent l'identité entre le diplôme et le milieu d'origine : on compte un collégien pour vingt élèves du primaire, un étudiant pour deux mille habitants.

L'égalité se retrouve dans la consommation des objets culturels. Pour coller à l'esprit du siècle, l'honnête homme doit posséder fortune et instruction. Les journaux et périodiques sont réservés à une clientèle réduite d'abonnés, peut-être cent mille lecteurs pour quinze millions d'adultes. A trente-six livres par an — un mois de salaire ouvrier — le *Mercure de France* est inaccessible aux gens du peuple. Il tire à deux mille exemplaires par semaine. Le premier quotidien, lancé en

1777, touche un public plus faible. La circulation des livres est limitée, presque confidentielle. Le nombre d'ouvrages édités a progressé au cours du siècle, de mille huit cent titres autorisés par an à deux mille trois cents entre 1750 et 1789. Les tirages des trente-six imprimeurs parisiens ont triplé. Mais les prix font obstacle à la diffusion. L'Encyclopédie, lancée en 1751, passe pour le monument littéraire de l'époque. Elle débute à six cents exemplaires pour toucher douze mille familles françaises en quarante ans.

Nobles et bourgeois éclairés se fréquentent dans les lieux convenus où s'élabore la culture. Les salons de Paris ou de province sont tenus par des dames de qualité ou par de grandes bourgeoises. Ils accueillent indistinctement la haute société et des écrivains de milieu modeste. Diderot, fils d'artisan y retrouve Montesquieu, marquis, d'ancienne noblesse parlementaire. Les académies sont moins connues, plus efficaces. Ces trente cercles littéraires regroupent dans chaque ville notable les élites cultivées. Elles lancent annuellement des concours de poésie, de prose et récompensent les lauréats par des prix ou de l'argent. Jean-Jacques Rousseau s'y fait connaître par ses Discours. Les jurys de ces académies comprennent des ecclésiastiques, des nobles parlementaires, des membres de la bourgeoisie d'offices et de professions libérales. Dans les loges maçonniques où l'esprit du siècle circule, le grand maître, Philippe d'Orléans, prince du sang peut côtoyer des écrivains (Laclos), des avocats (Robespierre).

La haute société valorise les intellectuels ayant « percé ». Elle les intègre, leur assure la protection et la sécurité matérielle nécessaires à la réalisation de leur œuvre. Les grands seigneurs traitent les philosophes sur un pied d'égalité. Mme du Châtelet accueille Voltaire ; Mme d'Epinay loge Rousseau et Diderot passe de protecteur en protecteur. Les artistes vien-

L'art académique : le salon de 1785

nent des milieux les plus modestes : David et Chardin sont
fils d'artisans, de boutiquiers. Ils jouissent d'une estime
sociale très inférieure à celle des écrivains : « C'est par ignorance que le bourgeois confond l'artiste et l'homme de .let-

(au centre, le Serment des Horaces de J.-L. David).

tres ; il y a entre eux une grande distance ; l'homme de lettres est bien au-dessus de l'artiste » (S. Mercier). Les comédiens, méprisés par le clergé, n'ont toujours pas de statut
social. Pourtant le mécénat de l'aristrocratie française leur per-

met une promotion spectaculaire. Leur talent les intègre à la société des arts qui s'esquisse. Ce n'est pas une démocratisation. L'art reste contrôlé par les Académies, qui fixent les carrières, les concours, les expositions. Mais les élites s'ouvrent aux talents et au mérite bourgeois. Ce creuset modifie leurs valeurs et leur idéologie. Quel rôle jouent-elles dans la contestation des fondements de la civilisation d'Ancien Régime ?

UNE NOBLESSE RÉVOLUTIONNAIRE ?

Une noblesse progressiste se manifeste pendant tout le XVIIIᵉ. Elle favorise les idées nouvelles. L'*Encyclopédie* n'aurait pu paraître sans l'intervention personnelle du président Malesherbes, directeur de la Librairie, qui lève l'interdiction du Conseil d'Etat en 1752 et 1759. Le *Contrat Social* de Rousseau modifié par la censure est édité sous la protection d'aris-

Le monologue de Figaro (acte V, scène 3)

« Non, monsieur le comte, vous ne l'aurez pas... vous ne l'aurez pas. Parce que vous êtes un grand seigneur, vous vous croyez un grand génie ! Noblesse, fortune, un rang, des places, tout cela rend si fier ! qu'avez-vous fait de tant de biens ? Vous vous êtes donné la peine de naître et rien de plus : du reste, homme assez ordinaire ! Tandis que moi, morbleu, perdu dans la foule obscure, il m'a fallu déployer plus de science et de calculs pour subsister seulement qu'on en a mis depuis cent ans à gouverner toutes les Espagnes...

Que je voudrais bien tenir un de ces puissants de quatre jours, si légers sur le mal qu'ils ordonnent quand une bonne disgrâce a cuvé son orgueil ! Je lui dirais... »

tocrates en 1762. Le *Mariage de Figaro* soulève un immense scandale en avril 1784. On connaît le jugement de Mirabeau : « Figaro a tué la noblesse ». Son monologue nocturne est un réquisitoire violent contre les privilèges de l'ordre. Louis XVI a même engagé son pouvoir : « on ne la jouera pas ». « Elle » est pourtant représentée, sous la pression de princes et de grands de la cour. Les nobles s'écrasent aux premières et assurent le triomphe, en riant à leurs dépens.

On peut l'expliquer avec le renouvellement important de la noblesse par les élites du tiers. Les bourgeois les plus riches et les plus méritants deviennent finalement nobles, par achat de charges, lettres, usurpations tolérées. Près du quart de l'ordre serait constitué d'anoblis récents. Cette régénération favorise le progressisme des nobles éclairés. Ils développent une critique hardie du régime et de l'ordre en place, allant parfois plus loin que les écrivains du tiers. Leur participation aux Lumières est plus importante qu'on ne l'a cru généralement. Conçue par des bourgeois, l'*Encyclopédie* a été principalement rédigée par des privilégiés : le tiers des articles est signé par les abbés de Prades, Raynal, Morellet. L'auteur le plus prolifique est le chevalier de Jaucourt. Des nobles y collaborent : grammairiens — le marquis de Vauvenargues —, et mathématiciens — le marquis de Maupertuis. Un marquis révolutionnaire, Condorcet, a le mieux défini les progrès du siècle dans son *Esquisse d'un tableau des progrès de l'esprit humain* achevé en 1793. Les écrivains nobles furent minoritaires, mais influents dans le mouvement des idées.

Ils seraient ainsi les principaux contestataires de la monarchie absolue. Les résistances à l'arbitraire royal sont permanentes, des ouvrages du duc de Saint-Simon au début du siècle à l'opposition victorieuse des nobles des Parlements en 1787-1788. Elles sont théorisées par le marquis de Montesquieu, l'inspirateur des constitutions des révolutions américaine de 1787 et française de 1791. Il affirme l'existence dans chaque pays de lois fondamentales particulières qu'un monarque ne saurait modifier sans tyrannie. Le roi ne peut posséder la « patrie », car cette dernière est formée de « citoyens » assemblés en « nation ». Des « corps intermédiaires » doivent préserver les lois. Le programme de 1789 apparaît ainsi dans *l'Esprit des Lois* (1748), sous la signature d'un nom illustre de la vieille noblesse parlementaire. Avec les autres philosophes, Montesquieu milite pour les libertés fondamentales : fin de la détention arbitraire, de la torture et question préalable, limitation de la garde à vue, garanties d'accusation et de jugement comme en Angleterre, liberté d'expression et tolérance. Il incarne la pensée « libérale » contre l'absolutisme

D'autres nobles sont à l'avant-garde de la contestation religieuse du siècle, par leur critique des dogmes et la remise en cause des règles de la morale familiale. Voltaire représente l'opposition bourgeoise vis-à-vis de l'Eglise catholique, de sa hiérarchie et de ses ressources. Mais les voltairiens restent déistes, croient en l'Etre Suprême — l'« horloger » —, à un frein religieux, nécessaire contre les débordements populaires. Des nobles réfutant les textes sacrés vont jusqu'au matérialisme, comme le baron d'Holbach, dont le *Christianisme dévoilé* (1767) et le *Système de la nature* (1770) sont condamnés et brûlés.

La tutelle religieuse sur la famille est combattue par les nobles progressistes. Les baptêmes, mariages, décès, étaient inséparables des sacrements. Seuls, les curés pouvaient les enregistrer et les valider. Nul n'existait hors des registres de catholicité. Le divorce était impossible ; les enfants naturels « du péché », ne pouvaient hériter. L'Eglise condamnait les relations avant le mariage, les limitations des naissances après.

Une partie de la noblesse s'élève contre cette morale imposée. Le comte d'Antraigues et le marquis d'Argenson réclament la laïcisation de l'état civil, la libéralisation du divorce, envisagent l'égalité des successions pour les enfants naturels. Les premières limitations des naissances se constatent chez les ducs et pairs de France, avec un nombre d'enfants par couple qui passe de six à deux au XVIIIe siècle.

Le liberté relative des mœurs de la noblesse se traduit par une certaine promotion féminine. Des femmes du monde animent les « salons ». Certaines se lancent dans les lettres : dix pour cent des participants aux Jeux de l'Académie de Toulouse. Les actrices en renom sont reçues dans le monde. Les ouvrages féministes sont plus nombreux dans le milieu aristocratique que dans la pensée bourgeoise. L'antiféminisme violent des œuvres de Rousseau ou de Rétif, est absent de celles de Montesquieu. Condorcet réclame l'égalité politique pour les femmes en 1787 dans sa *Lettre à un citoyen de Virginie*. L'ensemble de ces positions dépasse l'esprit des « Lumières » bourgeoises.

A côté des libéraux et des rationalistes s'affirment des gentilshommes démocrates, sensibles aux misères du peuple. Le duc de la Rochefoucauld-Liancourt propose de substituer à la charité des congrégations religieuses un service public de bienfaisance, pour donner du travail aux chômeurs, des secours aux indigents. Cette philanthropie est originale.

La juxtaposition de ces prises de position permet d'attribuer à la noblesse éclairée un rôle essentiel dans le déclenchement de la révolution de 1789. La « prérévolution » des parlementaires nobles aboutit à la première réunion des Etats Généraux depuis 175 ans. Dès le début, des nobles patriotes condamnent les privilèges de leur ordre. Ils exprimeraient leur programme dans les cahiers de doléance en acceptant le vote par tête, qui condamne l'Ancien Régime, et l'égalité fiscale. Ces nobles progressistes réaliseraient l'égalité de la naissance et du mérite et la fusion des élites en devançant la révolution.

LE MÉRITE CONTRE LA NAISSANCE

De telles conclusions sont forcées, à partir d'analyses de détail souvent justes. Des nobles et des prêtres ont bien participé, à titre individuel, à l'élaboration, à la diffusion des Lumières, dans la logique de leur formation intellectuelle. Ils se sont engagés, par générosité ou idéalisme, dans la voie révolutionnaire, dépassant par moments les idées de la bourgeoisie. Mais leurs ordres respectifs se sont constamment opposés au mouvement général. La révolution s'est faite avant tout contre les refus de l'élite dirigeante de limiter une parcelle de ses privilèges, de naissance ou de fonction. C'est face à elle que le tiers a fait bloc sous la direction intellectuelle de la moyenne bourgeoisie.

La lutte de la bourgeoisie contre la noblesse est celle du mérite contre la naissance. La fascination exercée par le second ordre sur l'élite du tiers renforce les contradictions entre les deux groupes. Car la tendance de la noblesse est dans la fermeture à la bourgeoisie et le renforcement de ses privilèges internes, tout au long du siècle. Les anoblissements — vingt mille au total sur près de quatre cent mille nobles — ont diminué par rapport au XVIIe ; ils ne modifient pas la composition et l'idéologie de l'ordre. Le bourgeois anobli s'empresse d'abandonner son ancien mode de vie pour adopter celui de son nouvel état avec d'autant plus d'éclat qu'il est un parvenu. Les nobles établissent leur supériorité sociale par un

Une noblesse révolutionnaire

« Ce sont les anoblis qui ont fait triompher la cause du mérite ; eux qui ont exigé l'abolition des pratiques discriminatoires qui isolaient et privilégiaient la naissance. Leur cause se confondait avec celle des élites du tiers. La noblesse a été ainsi le laboratoire privilégié, le manège où la bourgeoisie a tenté les galops d'essai d'une révolution de l'égalité. Egalité des élites... la première révolution a uni contre l'Etat absolutiste et contre le privilège restrictif noblesse et roture. Parce qu'il s'agissait d'une révolution des Lumières et de la conclusion d'un débat qui opposait naissance à mérite. Révolution des élites ; révolution de l'égalité au sommet. Au-delà, les lumières étaient largement dépassées. »

G. Chaussinant Nogaret
La noblesse au XVIII

comportement particulier, exclusif. Ils rendent la justice sur les terres dont ils sont les seigneurs et dans les communautés dont ils sont les protecteurs fictifs et les premiers personnages. Seuls, ils se livrent aux plaisirs de la chasse. Des milliers de cahiers de doléances du tiers-état se plaignent de la frénésie et de l'extension de cette activité. Les livres de vénerie, de fauconnerie remplissent les rayons des bibliothèques nobles. Trois mille neuf cent soixante-deux pièces de gibier abattu sont comptabilisées pour la seule terre de Liancourt en 1788. Toute une culture nobiliaire s'affirme, qui légitime les privilèges de la naissance face à la bourgeoisie.

La « vile bourgeoisie »

Les nobles d'épée ou de race et les nobles parlementaires qui contestent l'absolutisme se rejoignent sur un point : la volonté de fermer entièrement leur ordre à la « vile bourgeoisie ». L'épithète est du duc de Saint-Simon (qui méprise les nobles de robe). On « naît » noble, on ne peut le devenir ; « le roi peut faire des anoblis, pas des nobles ». La noblesse est une « race » supérieure dans la population : les traités de noblesse du XVIIIᵉ affirment que la « semence » détermine un « sang bleu » qui différencie biologiquement les nobles des roturiers. L'anoblissement est appelé « décrassage ». D'où la possession de multiples titres généalogiques, la tenue de « livres de raison » où les dynasties nobiliaires affirment leur légitimité, leur excellence. Etre noble, c'est multiplier les symboles, signes extérieurs de la caste : croix et médailles des ordres de chevalerie, blasons, armoiries, conformes aux traités d'héraldique — la science des marques de noblesse — girouettes, grilles d'entrée sculptées avec la devise latine de la maison. Au XVIIIᵉ, les nobles s'accrochent d'autant plus à ce qui les distingue de la bourgeoisie qu'ils se sentent menacés par une « nouvelle distribution de la richesse ». L'anobli est le premier à porter l'épée, à réclamer son banc à l'église, sa loge au théâtre et autres avantages honorifiques qui humilient la bourgeoisie.

Le mépris des nobles s'attache à l'ensemble des valeurs bourgeoises. Le noble satisfait au code aristocratique de l'« honneur » ; le bourgeois revendique une promotion sociale par le « mérite ». L'honneur exige du noble un comportement désintéressé, sans activités manuelles, lucratives ou spéculatives : le commerce de détail, l'usure, entraînent la « dérogeance ». En 1756 est lancée l'idée d'une noblesse « commerçante », faisant fructifier ses capitaux ; le chevalier d'Arc répond que la noblesse perdrait son âme en commerçant, car sa vertu est dans la pauvreté. Le mérite permet au bourgeois de s'imposer par un travail acharné, le souci de la rentabilité, l'épargne. Au XVIIIe les bourgeois veulent accéder aux responsabilités correspondant à leur place dans l'économie. Barnave, futur député du tiers-état, formule clairement cette revendication « A une nouvelle distribution de la richesse doit correspondre une nouvelle distribution du pouvoir ».

Cette lutte pour le pouvoir rend inévitable le conflit avec la noblesse. Cette dernière refuse le partage des postes dirigeants ; elle cherche à renforcer par tous les moyens ses privilèges de fonction. Au XVIIe un roturier pouvait devenir général, parlementaire, évêque — Bossuet —, ministre — Colbert —. Ces promotions cessent au XVIIIe. La noblesse obtient le monopole des hautes charges de l'armée : en 1781, tout officier devra posséder quatre quartiers de noblesse, soit une ancienneté de titre de deux siècles ! De même dans l'administration et les finances, les charges autrefois achetées par les bourgeois sont détenues au départ par des nobes. Dans les Parlements prestigieux (Paris, Rennes, Aix) les membres sont tous nobles d'anciennes familles ; les 130 évêques et la plupart des abbés également. Cet exclusivisme accentue la rancœur de l'élite du tiers : elle se sent supérieure en mérite, en talents, en utilité sociale et se voit exclue des hautes fonctions par l'élite dirigeante noble.

Une noblesse réactionnaire ?

La participation de la noblesse aux Lumières doit être reliée à cette lutte pour le pouvoir. Le brassage de la « république des lettres » est fragile, souvent mythique. L'égalité des salons et des cercles ne concerne guère les artistes. Les grands écrivains se voient rappeler à leur condition : Voltaire, rossé et embastillé par le duc de Rohan, Beaumarchais bâtonné par les domestiques du duc de Chaulnes. Madame Roland rappelle que sa famille mangeait toujours dans les cuisines lorsqu'elle était reçue par des nobles.

Il faut dissiper des malentendus : lorsqu'il conteste l'absolutisme, le duc de Saint-Simon réserve le rôle de conseillers aux seuls ducs et pairs de France, nobles d'épée et de race : il s'appuie sur le droit historique, le retour à l'âge d'or où les guerriers Francs élisaient le roi et le déposaient. Montesquieu est hostile à toute participation bourgeoise au pouvoir : ses « corps intermédiaires » ne doivent pas être élus, mais *cooptés* parmi les seuls parlementaires nobles. Il fonde cette prétention sur la tradition des conseillers gallo-romains auprès des monarques. L'attaque vise au renforcement de l'aristocratie, au détriment des revendications bourgeoises.

Quand la philosophie remet en cause les fondements de la prééminence de la noblesse, au nom de la raison et de l'égalité naturelle, le corps réagit avec violence, au-delà des engagements individuels progressistes. Montesquieu appartient au Parlement, qui mène une guerre implacable contre l'esprit du siècle, condamne les ouvrages contestataires, les fait brûler parfois. Par conservatisme social, les parlementaires font interdire les livres « subversifs » : *l'Encyclopédie* en 1759, *le Christianisme dévoilé* en 1767, *le Système de la nature* en 1770, soixante-cinq titres en quinze ans — 1760-1775 —. Ils animent un courant antiphilosophique, réfutent eux-mêmes les idées nouvelles dans des productions aux titres évocateurs : *Sentiments d'une âme pénitente revenue des erreurs de la philosophie moderne* ; *la Religion considérée comme unique base du bonheur.* Représentants authentiques de l'élite nobiliaire, ils incarnent la résistance farouche de l'ordre aux prétentions d'une bourgeoisie associée aux Lumières. Le refus de tout compromis les désigne comme l'obstacle à abattre pour réaliser l'égalité des élites.

Les parlementaires déclenchent bien le processus révolutionnaire mais pour renforcer leurs prérogatives. La plupart des cahiers de doléances de l'ordre, refusent le vote par tête, exigent le maintien de l'ensemble des privilèges liés à la naissance. Le compromis recherché par l'aile libérale est masqué par la « réaction aristocratique » d'une caste menacée et profondément conservatrice. En 1789 les élites proches par la fortune, la propriété, la culture sont séparées par la naissance. La disparition de ce privilège est l'enjeu essentiel de la lutte menée par l'élite du tiers et certains nobles contre l'aristocratie nobiliaire.

LE CLERGÉ, ÉLITE DIRIGEANTE

La bourgeoisie doit faire face à une autre couche de l'élite dirigeante : le clergé français. La majorité des prêtres ne partagent pas l'aisance, le style de vie des élites. Mais le premier ordre du royaume est homogène par la fonction, les privilèges ; il est le fondement essentiel de la civilisation d'Ancien Régime : toute remise en cause de cette dernière passe par sa contestation.

Depuis 1682, le clergé a signé avec la monarchie une alliance qui profite aux deux parties. Il confère au souverain la légitimité divine qui le rend infaillible par le sacre et l'onction. Il lui fournit ses agents les plus efficaces, depuis que le roi nomme les évêques qui désignent les soixante mille curés et vicaires. Ceux-ci lisent les décrets royaux (monitoires) à leurs paroissiens, le dimanche. Le clergé est un appareil d'Etat présent dans tout le royaume. En échange, le roi garantit les privilèges administratifs, judiciaires, financiers de l'ordre. Il veille au respect des commandements de l'Eglise ; le catholicisme est le seul culte autorisé jusqu'en 1787. Il réprime par la force armée les manquements aux règles religieuses. Un vol dans une église est puni de mort, de même que les profanations ; qui ne se découvre pas au passage de certaines processions est torturé, tué comme le chevalier de La Barre (réhabilité par Voltaire). Le clergé légitime l'ordre politique et s'oppose aux réformes libérales des philosophes. Le clergé légitime l'ordre social. La société d'ordres correspond à l'harmonie voulue par le Créateur : toute tentative d'égalisation sociale menace l'harmonie. De nombreux curés prennent la défense des pauvres face à l'exploitation. Mais le clergé s'oppose au désir de mobilité sociale du tiers. Pour l'Eglise, l'argent issu des bénéfices, des activités mercantiles ne doit pas être un facteur de promotion sociale. La mentalité de la bourgeoisie l'éloigne doublement de l'Eglise. Les bourgeois ne peuvent satisfaire aux rites multiples de la pratique du catholicisme. L'importance accordée au mérite s'oppose au conservatisme social du clergé. Ce dernier est donc assimilé à l'aristocratie, dont le haut clergé est solidaire, comme « élite dirigeante » opposée à toute redistribution du pouvoir.

Une civilisation catholique

Le clergé légitime enfin l'ordre moral et culturel de l'Ancien Régime. Il exerce une influence énorme sur les consciences, les mentalités et les comportements des Français.

La dépendance complète de la famille à l'égard de l'Eglise a été évoquée. L'emprise sur les consciences peut rappeler en partie celle exercée de nos jours par l'Islam. L'avortement est un crime puni de mort. L'identification des individus se fait par l'attribution d'un prénom de saint ou de sainte, avec des règles particulièrement stables de transmission, de choix parmi les prénoms vedettes : Marie, Marguerite, Pierre, Jean... La pratique religieuse est imposée, à la campagne plus qu'à la ville. Les absences à la messe du dimanche et à la confession pascale sont notées et réprimandées. La messe et de nombreuses prières sont dites en latin. Le calendrier liturgique rythme les fêtes et la pratique sociale. L'église représente le cœur de la vie communautaire. La lutte pour la liberté de conscience passe par la laïcisation de la société, réclamée par des Lumières.

L'encadrement des consciences se fait par l'enseignement, monopole de l'Eglise. Les enseignants, Frères des Ecoles chrétiennes du primaire, Jésuites et Oratoriens des collèges, « régents », appartiennent à des congrégations religieuses. Ils sont nommés par des jurys d'ecclésiastiques lorsqu'ils ne sont pas prêtres eux-mêmes. Beaucoup d'écoles ont été fondées pour réagir contre la diffusion du protestantisme. Le catéchisme est la base de l'éducation primaire, avec l'évangile comme manuel. Les prières commencent et terminent la journée scolaire. L'école constitue un moyen efficace de pression pour le clergé.

Le clergé contre les Lumières

Le clergé exerce une censure sur la création artistique et culturelle, par une pression constante sur les censeurs du roi. Dans la littérature des Lumières, les genres historiques et scientifiques progressent au détriment de la littérature religieuse. Mais le pouvoir du clergé reste considérable. Les académies littéraires veillent à la moralité des sujets de concours : les attaques contre la religion sont interdites ou sanctionnées par les jurys. Les livres sont étudiés par des commissions qui mettent les plus subversifs à l'index, en accord avec le Parlement et le Conseil d'Etat. Les représentations artistiques « immorales » sont l'objet de sévère condamnations. Malgré la faveur du public, les comédiens n'ont toujours pas de statut social, à cause des réticences de l'Eglise. Les cahiers de doléances du clergé sont unanimes à dénoncer l'« excessive licence » des arts et de la culture.

Il est logique que le clergé soit attaqué par les élites éclairées comme l'institution faisant obstacle aux Lumières. En général, la bourgeoisie et la noblesse libérale ne contestent pas son utilité sociale — les tâches d'assistance, de charité —. Elles dénoncent les contraintes sur les consciences et la mauvaise répartition de ses énormes revenus.

Des conflits internes

L'unité apparente de l'ordre masque pourtant des ruptures. Le clergé est divisé entre les partisans des idées nouvelles et les traditionnalistes. Formé dans des séminaires de bon niveau, le clergé séculier est instruit, appartient à l'élite culturelle. Quelques évêques, de nombreux curés et des congrégations entières — les Oratoriens — participent aux Lumières. Un curé des Ardennes, Meslier (dont le *Testament* sera édité par Voltaire) est « athée, communiste et révolutionnaire ». Surtout une coupure sociale sépare le haut du bas clergé, celui des curés et des vicaires. Non que ces derniers soient pauvres ou issus de milieux populaires : ils doivent disposer de cinq cents livres de rente par an, d'une petite propriété et viennent de familles relativement aisées : professions libérales, artisans, « ménagers ». Mais ils s'opposent à la hiérarchie de l'ordre, à la nomination et à la direction des évêques. De même, ils se rapprochent souvent du peuple ; ils connaissent sa misère qu'ils tentent de soulager. Cette lutte interne préfigure celle du tiers et des privilégiés. Le sommet de l'ordre se range résolument du côté de l'élite dirigeante, pour conserver sa prééminence. Mais la base aspire à une plus grande démocratie, à l'égalité. C'est cette base qui va se ranger du côté du tiers en 1789 et contribuer à la chute de l'Ancien Régime, auquel elle est associée par l'opinion publique.

Le bas clergé montrera par les cahiers de doléances qu'il s'intéresse au sort du peuple. Il est bien isolé. Les élites de l'aristocratie et de la bourgeoisie s'unissent dans leur méconnaissance et leur mépris des couches populaires, qu'elles soient libérales ou conservatrices. Comme elles monopolisent la circulation des idées, on a longtemps conclu que la révolution de 1789 résultait du seul conflit opposant les élites de la naissance aux élites du mérite et du talent. Le peuple n'avait pas les moyens matériels et culturels d'exprimer une protestation cohérente. Il ne pouvait que suivre aveuglément le programme des intellectuels bourgeois. Cette vision est partiale. La participation populaire à la Révolution a d'autres causes. La misère des années prérévolutionnaires, une « passion profonde et inextinguible » pour l'égalité (Tocqueville) ont pu unir un moment les foules urbaines et rurales à la bougeoisie. Mais les motivations étaient différentes, à la mesure du fossé social séparant le quatrième état de l'élite du tiers, jusqu'à la Révolution.

LA TULIPPE

Mon nom de Guerre est la Tulippe
Je suis, comme on voit, beau Garçon,
Quand d'une main je tiens ma pipe,
Et que j'ai de l'autre un Flacon,

Si j'ai le gousset bien rempli;
Des maux que nous cause la Guerre,
Avec mes amis, a plein Verre,
Je suis sur de boire l'Oubly.

« Je suis comme on voit beau garçon. »

II. *Le peuple à la veille de la révolution*

*« Comme le peuple n'avait pas paru un
seul instant depuis cent quarante ans sur la
scène des affaires publiques, on avait absolument cessé de croire qu'il put jamais s'y montrer. »*

(Tocqueville.)

Les définitions des élites

Avant la Révolution, le peuple n'a pas accès à l'élaboration
de sa propre histoire. Les élites en donnent trois définitions
articulées, complémentaires.

— Le peuple est travailleur, actif, il forme « la partie la
plus nombreuse et la plus nécessaire de la nation » (*L'Encyclopédie*, article « Peuple »). Pour les philosophes, « le travail est
le seul patrimoine du peuple ». Le jugement est positif : le
travailleur est heureux, car vertueux.

— Le peuple est pauvre et dépendant. La pauvreté naît de
la précarité du travail : « il faut qu'il travaille ou bien qu'il
mendie ». La dépendance, face à ceux qui fixent les salaires,
les propriétaires, les exploiteurs. « Le peuple renferme tous les
hommes sans propriété et sans revenu, sans rentes et sans
gages ; qui vivent avec les salaires quand ils sont suffisants,
qui souffrent lorsqu'ils sont trop faibles, qui meurent de faim
lorsqu'ils cessent » (Linguet). Pour Necker, le ministre réfor-

31

mateur, l'exploitation du travailleur correspond à une loi sociale : elle le condamne à évoluer perpétuellement entre la subsistance et l'indigence. « Tous ceux qui vivent du travail de leurs mains reçoivent impérieusement la loi des propriétaires et sont forcés de se contenter d'un salaire proportionné aux simples nécessités de la vie. Leur concurrence et l'urgence de leurs besoins constituent leur état de dépendance et ces circonstances ne peuvent point changer. » Son jugement reste neutre.

— Le peuple est inférieur aux élites. Il est « menu » ou « petit ». Sa condition méprisable est justifiée : il n'a ni l'aisance, ni les lumières, ni la conscience des élites. Il est sans cesse menacé de déchéance, par les lois de son milieu. Le petit travailleur indépendant sort alors du peuple pour tomber dans la *populace* qui regroupe « les déchets sociaux du petit commerce, du modeste artisanat et de l'aventure familiale manquée, la presque totalité des salariés » (Goubert). Le jugement devient péjoratif. L'échec matériel débouche sur la condamnation morale des vices et des passions. Un degré extrême de l'infériorité sociale existe : la *canaille*. Elle est composée de ceux qui ne peuvent subsister, faute de travail régulier : les indigents, les chômeurs, les mendiants assimilés d'emblée aux vagabonds, les marginaux, la « lie » ou la « fange » de la population. La classification sociale et morale des élites distingue à l'intérieur du peuple les « couches laborieuses » des « couches dangereuses ».

LES COUCHES POPULAIRES

Nettement distinct des élites que sa frange supérieure aspire à rejoindre, le peuple des villes et des campagnes n'est pas homogène par les niveaux de vie et de culture.

Le peuple à la veille de la révolution

Seize millions de paysans

Le peuple des campagnes comprend environ seize millions d'individus, sur une population totale de vingt-huit millions en 1789 : quatre-vingt-quatre pour cent de la population réside à la campagne, soit vingt-trois millions de personnes. Sans les privilégiés, bourgeois résidents, commerçants, professions libérales, il reste dix-huit millions de paysans regroupés sur les terroirs, dans les communautés, villages et paroisses. Près de dix pour cent sont indépendants, à l'abri du besoin et des crises. Il s'agit de propriétaires de plus de quinze hectares appelés « ménagers » dans le midi et « laboureurs » dans l'Ile-de-France, de « gros fermiers » capitalistes mettant en régie cinquante hectares ou plus avec du matériel moderne. Ces « coqs de village » sont déjà des notables, à la tête des communautés.

Sur les seize millions de ruraux restant, les deux tiers sont des petits paysans résidents, propriétaires de parcelles ne dépassant pas trois hectares. Ils louent des terres pour subsister, soit en fermage, plus avantageux, soit en métayage où cinquante pour cent de la récolte va au propriétaire. Les vignerons, nombreux dans toutes les régions relèvent de cet ensemble. Ils dépendent des rentiers du sol, le roi, le seigneur, le clergé, et des crises de subsistances lorsqu'ils sont plus consommateurs que vendeurs.

Cinq millions de ruraux forment un prolétariat à la limite de la subsistance et de l'errance. Ils ne possèdent pas de terre, donc pas de résidence fixe. Travailleurs journaliers, manouvriers, « brassiers », ils subsistent une partie de l'année par l'usage des biens communaux. Ils doivent se déplacer pour les travaux saisonniers : moissons, vendanges et monter à la ville en période de crise. Les bûcherons, les travailleurs des rivières (hâleurs, porteurs) complètent ce « bas » peuple des campagnes. La misère conduit souvent au braconnage, à la contrebande ou à une mendicité pratiquement héréditaire.

Le peuple des villes : actifs et actives, indigents

Le peuple des villes comprend trois millions de personnes. Les agglomérations de plus de deux mille habitants renfermaient seize pour cent de la population en 1789, soit cinq millions de personnes : Paris en comptait six cent cinquante mille environ, Dijon cent vingt mille, Rouen quatre-vingt mille, Strasbourg cinquante mille. La croissance urbaine a été rapide au cours du siècle. En 1789, près de la moitié des résidents de Nancy et soixante pour cent des Parisiens sont nés hors de la ville.

Les couches populaires sont majoritaires par rapport aux autres catégories, aristocratie, clergé, bourgeoisie : cinquante-cinq pour cent dans une petite ville, Semur en Auxois, et dans une ville moyenne, Orléans, près de soixante pour cent à Lyon et à Paris. Elles se divisent en trois grandes catégories : les actifs stables, les actifs occasionnels et les indigents.

La première concerne le petit monde de la boutique et de l'échoppe, les petits commerçants et artisans, installés à leur compte, mais dont les revenus liés au travail personnel constituent l'essentiel des ressources. Les artisans réunis par le système des « corporations », se regroupent dans certains quartiers comme le faubourg Saint-Antoine, domaine de l'ameublement, de la menuiserie et de l'ébénisterie. Les compagnons qui travaillent chez le maître « au gîte et au pot », partagent son mode d'existence et espèrent lui succéder, malgré la différence hiérarchique et la question des salaires. Les

« Le petit monde de la boutique et de l'échoppe. »

ouvriers des grandes manufactures s'en rapprochent. On compte ainsi soixante-quinze mille ouvriers et compagnons à Paris, davantage proportionnellement à Lyon. A part, le personnel domestique est numériquement très important : trente-cinq à quarante mille personnes à Paris, hommes et femmes au service des élites.

Les actifs occasionnels — la « populace » — correspondent aux multiples petits métiers de la ville. Ceux qui les occupent sont souvent des provinciaux, spécialisés dans une activité et regroupés en communautés dans certains quartiers : les maçons de la Creuse, les petits ramoneurs savoyards. On y trouve les journaliers, les portefaix, les gagne-deniers, les por-

Petits métiers féminins de la rue.

teurs d'eau — vingt mille pour tout Paris — les bateleurs et
les débardeurs des ports. Des études récentes ajoutent à cet
ensemble la masse longtemps négligée des travailleuses. Les
statistiques de l'emploi ne prenaient en compte que les hommes. Il est possible d'évaluer le travail féminin urbain, répar-
tit en quatre secteurs essentiels.

Le peuple à la veille de la révolution

— La confection textile touche des milliers de travailleuses en atelier ou à domicile — les plus avantagées — : cardeuses, fileuses, gazières, couturières, ravaudeuses, blanchisseuses...

— Les métiers du commerce concernent les veuves installées à leur compte et les femmes associées à la marche de la boutique. Les places de l'alimentation : boulangères, bouchères, épicières, dames de la Halle, sont plus estimées que les petits métiers : fleuristes, laitières, revendeuses, brocanteuses.

— Le salariat de l'artisanat est mentionné dans les faubourgs : éventail, reliure, enluminure...

— Des métiers durs et peu qualifiés complètent l'ensemble : charbonnières, jardinières, « femmes de portefaix, qui, à Paris, portent des fardeaux énormes et travaillent comme des hommes » (S. Mercier).

Ces emplois féminins sont précaires, menacés par la concurrence masculine ; les salaires sont inférieurs à travail comparable de soixante à soixante-dix pour cent aux salaires masculins. Les fileuses gagnent dix à seize sous dans la journée pour onze heures de travail contre vingt-quatre sous pour la moyenne des salariés.

Reste la population « flottante », en marge du monde du travail, gonflée lors des crises de subsistances : des variations de trente à quarante mille personnes existent pour Paris à plusieurs années d'écart. Les « indigents » manquent des choses nécessaires à la simple existence, à la subsistance. Les familles atteintes par la pauvreté absolue représentent quinze à vingt pour cent de la population totale des villes : neuf mille sur cinquante mille à Strasbourg, quinze mille sur cinquante mille à Orléans, plus de cent mille sur six cent cinquante mille à Paris, dont douze mille pour le seul faubourg Saint-Marcel et quinze mille pour le faubourg Saint-Antoine (sur cinquante mille). Qui sont les indigents ? Des provinciaux en situation d'échec, des chômeurs pour qui l'on ouvre des ateliers de charité, des femmes des quartiers populaires, sans soutien de famille et sans situation. Les contemporains estiment de trente-cinq à quarante mille le nombre des prostituées parisiennes sur cent cinquante mille femmes, dont vingt mille « tapins » faisant le pavé.

Les pauvres ont leurs quartiers réservés, au sud et au centre de Paris, par exemple « En entrant dans le faubourg Saint-Marceau, je ne vis que des petites rues sales et puantes, de vilaines maisons noires, l'air de la malpropreté, de la pauvreté, des mendiants (huit mille au moins à Paris en 1789), de charretiers, des ravaudeuses, des crieuses de tisane et de vieux chapeaux » (J.-J. Rousseau). Ils sont reconnaissables à leurs physionomies « féroces » ; méprisés par les moralistes pour leurs vices constitutifs ; victimes des épidémies : « les vagabonds exhalent une puanteur capable de mettre l'infection dans la ville. »

Comment ce peuple des villes et des campagnes aurait-il pu jouer un rôle quelconque sur la scène politique ? Les élites excluent l'éventualité d'un mouvement populaire avant 1789. Trop d'obstacles l'interdisent. Tant de choses séparent le peuple de ceux qui dirigent le pouvoir et la culture : les susbsistances, le gîte, le costume, le langage, les mœurs...

L'EXISTENCE POPULAIRE

Le budget d'une famille ouvrière de cinq personnes — dont trois enfants — permet de connaître les besoins et le pouvoir d'achat du peuple. Le salarié agricole gagne vingt sous par jour, l'ouvrier des villes vingt-quatre sous en moyenne en 1789. Les femmes apportent un complément longtemps sous-estimé.

L'existence des ouvriers du Havre

« Dans toutes les fabriques, moyenne des salaires : pour les hommes, vingt-six sous ; pour les femmes, quinze sous ; pour les fileurs, neuf sous. Ces salaires, sans aucun doute, sont très inférieurs à ceux que l'on donne dans les manufactures analogues en Angleterre, où j'estime que la moyenne pour les hommes est de quarante sous, et de dix-sept sous pour les femmes. J'ai montré que les fileurs touchent douze sous et demi... Le déjeuner du pauvre se compose de pain et d'eau de vie ; au dîner du pain et du fromage à huit sous la livre ; au souper, du pain et une pomme ; mais le dimanche un morceau de viande de basse qualité à six sous la livre. »

A. Young
1788

Les subsistances

Les frais de nourriture atteignent les deux tiers du budget. Le pain représente à lui seul la moitié des dépenses. Il faut trois livres de pain bis ou mêlé de seigle par travailleur de force, deux par ouvrier, un par travailleuse, un demi par enfant, soit cinq à six livres pour une famille ; le pain de quatre livres est vendu entre huit et quatorze sous au XVIIIᵉ ! Pourtant l'alimentation populaire a progressé. Des calories complémentaires sont apportées par la viande, un mélange de bas morceaux — tripes, abats — et de légumes, les « réjouissances », achetées chez les « regrattiers » ; par le poisson en période de carême ; par le vin : un demi-litre par personne et par jour, souvent bon marché et de mauvaise qualité. De nouvelles habitudes alimentaires sont apparues. Une partie des douze mille tonnes de café et des trois mille tonnes de sucre entrant chaque année à Paris est destinée aux petits déjeuners du peuple, à vingt-cinq sous la livre de café et quinze sous celle de sucre. Les problèmes des familles ouvrières tiennent à la régularité de l'approvisionnement et au prix des denrées. Le pain ne peut être conservé plus de trois jours. La situation parisienne résume les difficultés des marchés à grains du royaume. En cas de crise dans la ceinture céréalière de la capitale — cent kilomètres de rayon —, le ravitaillement devient précaire en raison de l'absence de liaisons régionales. Les files d'attente s'allongent dès quatre heures du matin aux portes des cinq cent cinquante boulangers. A la rareté s'ajoute la cherté, tant que les prix restent libres. Pour les soixante pour cent de Français consommateurs des villes et des campagnes, les nombreuses crises entraînent la disette.

Les logements

Les gens du peuple se reconnaissent à leurs logements. Le loyer atteint ou dépasse dix pour cent du budget ouvrier. On peut parler d'habitat populaire en dessous de cent livres de loyer annuel, pour près de cinquante pour cent des appartements parisiens, soixante mille sur cent vingt-huit mille. La ségrégation géographique existe déjà dans les grandes villes. L'aristocratie et la bonne bourgeoisie habitent les beaux quartiers de l'Ouest de Paris et du Marais. Le peuple se concentre dans les quartiers du centre (la Cité, le Temple), les faubourgs de l'Est et du Sud : Poissonnière, Saint-Antoine et Saint-Marcel. Une deuxième séparation est verticale : la pauvreté grimpe avec les étages. La plupart des immeubles ont trois ou

Le mobilier d'un ouvrier maçon

« Un mauvais poêle de terre avec ses mauvais tuyaux, une très mauvaise couchette et un lit de sangle, un matelas et un sommier en très mauvais état, deux mauvaises couvertures de laine, un traversin de coutil, un pot à beurre, une petite soupière de faïence, une trousse contenant quatre rasoirs, une petite cassette renfermant de vieux chiffons et des outils. »

Archives de la préfecture de police.

quatre étages, certains jusqu'à neuf, malgré les limitations royales. Plus l'on monte, plus le logement est difficile à chauffer et à éclairer. L'artisan loge au troisième étage ; l'ouvrier au quatrième ; au dernier étage sont les logements insalubres, les taudis où s'entassent plus de quatre-vingt-dix mille personnes à Paris en 1789. Chambres mansardées ou galetas pour les bonnes (en sous-location) ; « chambrées » où s'alignent les rangées de lits des ouvrières ; « garnis » ou bouges des faubourgs ; « les carreaux des fenêtres manquent, les chambres garnies puent, les lits gémissent, les tapisseries pourrissent, les escaliers sont troués aux marches, les punaises grouillent, les locataires déménagent à la cloche de bois » (d'après A. Farge). Certains quartiers se caractérisent par la promiscuité : cent vingt mille habitants au kilomètre carré dans le quartier des Lombards entre les rues Saint-Denis et Saint-Martin, soit huit mètres carrés par habitant. La population y est plus concentrée qu'au siècle suivant. La majorité des logements n'a qu'une pièce, et quatre personnes par pièce. Le problème majeur est d'alimenter la cheminée ou le poêle, encore rare. Il faut deux semaines de travail pour un stère de bois ! La plupart des mobiliers des foyers populaires ont moins de valeur que le loyer annuel. Les descriptions des commissaires lors des expulsions sont rapides.

Dans les campagnes, les manouvriers vivent dans des conditions épouvantables, sans lits, ni chauffage, alors que les « ménagers » accumulent les armoires massives et les coffres. Avec les épidémies fréquentes, l'espérance de vie est souvent inférieure à trente ans.

« Pas autrement vêtus pendant toute l'année »

Les gens du peuple se reconnaissent à leurs costumes qui reflètent bien la « hiérarchie sociale des apparences » (D. Roche). A l'exception des domestiques, on porte l'habit de son état. A Orléans, les travailleurs ont des blouses de chanvre grossier, les « droguets », et des pantalons larges ; les bourgeois, des habits de drap et des culottes. La bourgeoisie possède chapeau sur perruque, bas de soie et souliers ; le peuple, bonnet sur cheveux libres, bas de laine et sabots. Les dépenses vestimentaires s'élèvent à quinze pour cent du budget ouvrier, mais il faut huit ans à Lyon pour renouveler une garde-robe. De nombreux travailleurs, principalement des campagnes, portent sur eux tous leurs effets, quatre à cinq pièces.

Pourtant le XVIIIe a été pour les salariés et les domestiques parisiens une période d'accumulation vestimentaire. Certains possèdent à leur mort deux ou trois vestes, vêtement populaire par excellence, des blouses et des haut de chausses. Les femmes disposent de plusieurs rechanges : dix à quatorze pièces. Mais les descriptions invitent à déchanter, pour la qualité.

Le costume d'un compagnon de Mamers (Maine)

« Que tous ses linges et hardes, consistant en un habit de drap gris blanc, une veste, une culotte de panne couleur marron, un chapeau, deux paires de souliers, six chemises, deux tours de col, un habit et veste de droguet bien usé, deux mouchoirs de coton, trois paires de bas tant bons que mauvais, une tabatière de cuivre dont il est nanti, soient vendus, et le prix d'iceux employés à payer ses dettes, et le surplus ses frais funéraires et à faire dire et célébrer des messes ; déclarant n'avoir aucun argent en main et ne lui être rien dû. »

Le costume des paysans d'Anjou

« Les vêtements des paysans pauvres — et presque tous l'étaient plus ou moins — étaient chétifs, car ils n'avaient souvent que les mêmes pour l'hiver et pour l'été, qu'ils fussent d'étoffe ou de toile ; et la paire de souliers très épais et garnis de clous, qu'ils se procuraient vers l'époque du mariage, devait, moyennant la ressource des sabots, servir tout le reste de leur vie. J'en ai du moins remarqué plusieurs qui n'étaient pas autrement vêtus pendant toute l'année. Quant à l'usage des bas, il leur était à peu près inconnu : leurs femmes et leurs filles n'en portaient guère que les dimanches, et leur accoutrement des pied à la tête ne pouvait qu'inspirer la pitié et le dégoût. »

Dans *La France*
au temps de Louis XVI

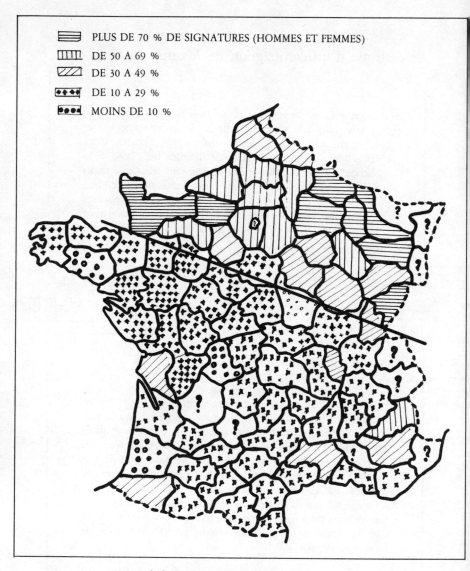

PLUS DE 70 % DE SIGNATURES (HOMMES ET FEMMES)
DE 50 A 69 %
DE 30 A 49 %
DE 10 A 29 %
MOINS DE 10 %

L'analphabétisme des adultes — *1786-1790*
(d'après l'enquête Maggiolo).

Le tiers des neuf cents délits jugés au Châtelet concerne des vols vestimentaires. En 1777 le roi fonde le Mont de Piété pour interrompre l'usure effroyable prélevée sur les meubles et habits des pauvres : contrôlé par des officiers royaux, il escompte les objets à dix pour cent. On comprend certaines descriptions du peuple de Paris « le peuple de la terre qui travaille le plus, qui est le plus mal nourri, et qui paraît le plus triste » (S. Mercier). Le costume des paysans est souvent plus précaire.

L'INSTRUCTION DU PEUPLE

La pauvreté matérielle des gens du peuple conditionne leur niveau de culture ; on ne devient pas pauvre, on naît pauvre, de génération en génération. Les élites condamnent l'ignorance populaire. Elles assimilent la mobilité sociale et la possession des diplômes. C'est oublier que l'ignorance est le produit de la pauvreté. Légitimer les inégalités sociales par l'inégalité devant la culture, c'est inverser les données. Le peuple est-il pauvre parce qu'ignorant ou le contraire ?

L'ignorance populaire est d'ailleurs en recul au XVIIIe. Les enquêtes sur l'alphabétisation des adultes montrent que deux fois plus de Français signent vers 1789 qu'au siècle précédent. Si la signature ne signifie pas forcément l'usage de l'écriture, elle en est le premier degré. Avant la Révolution, trois millions et demi d'hommes sur sept signent des actes, contre un million huit cent mille Françaises sur sept ; soixante pour cent de la population reste analphabète. Peut-on préciser les catégories populaires instruites ?

Pour les régions, la France du nord — au-delà d'une ligne de l'ignorance qui joint Saint-Malo à Genève — est massivement alphabétisée. Certaines régions comme la Bourgogne, la Champagne, la Normandie connaissent plus de deux tiers de signatures, hommes et femmes confondus. La France du sud est analphabète à plus de soixante pour cent, quatre-vingts pour cent dans les Landes et le Centre. Mais les montagnes du sud présentent une alphabétisation exceptionnelle : à Barcelonnette signent quatre-vingt-deux pour cent des hommes, quarante pour cent des femmes ; alors que les cités ouvrières du nord sont en retrait : Roubaix = trente-six pour cent pour les hommes ; trente et un pour cent pour les femmes ; Tourcoing vingt-quatre et dix-huit pour cent. Les villes sont souvent plus instruites que les campagnes : à Rennes cinquante-deux pour cent de signatures contre vingt-huit pour cent dans la région proche. Mais l'instruction dépend essentiellement de la hiérarchie sociale. Les parlers régionaux ne modifient pas la situation d'ensemble, à l'exception du flamand et de l'alsacien. Les traités ecclésiastiques bretons ne sont pas lus. Quant à l'occitan « personne n'écrit en patois à moins que cela ne soit quelque curé ou plutôt quelque moine missionnaire ».

Qui lit et écrit dans les campagnes ? quatre-vingt pour cent des chefs de famille de la bourgeoisie rurale. Les gros fermiers et « laboureurs » peuvent pousser leurs enfants vers les collèges, rédiger les cahiers de la Communauté. Les deux tiers des petits propriétaires sont illéttrés. L'analphabétisme est presque total pour les non-propriétaires, petits métayers et salariés agricoles, les hommes comme les femmes. La plupart des registres paroissiaux sont couverts de croix. La formulation des cahiers de doléances villageois posera des problèmes inattendus. Invités à exprimer leurs revendications, les paysans se taisent longtemps, désemparés devant la prise de parole, orale ou écrite ; ou ils crient tous, dans une sorte de défoulement. Finalement, le fils d'un gros propriétaire, jeune diplômé de collège, est chargé de la rédaction et de l'harmonisation avec les cahiers de la bourgeoisie. Cette confiscation de la parole paysanne fut fréquente. En ville, la situation est meilleure, mais inégale. A Paris signent près de cent pour cent des commerçants, quatre-vingt-cinq pour cent des artisans et des domestiques, cinquante pour cent des compagnons et ouvriers des manufactures, vingt-cinq pour cent des gagne-deniers ou journaliers, dix pour cent des indigents. La situation lyonnaise est plus représentative. Au-dessus de soixante-six pour cent, les boulangers, menuisiers, ouvriers en soie et domestiques ; entre quarante et soixante-six pour cent les charpentiers, « jardiniers », sous les quarante pour cent les journaliers et les maçons. La correspondance entre la condition sociale et l'instruction est remarquable.

On compte deux fois moins de femmes alphabétisées que d'hommes en 1789. Cette proportion était la même un siècle auparavant. Elle se retrouve dans presque toutes les régions et pour la plupart des métiers, sauf pour les villes dotées d'institutions scolaires pour jeunes filles : soixante-sept pour cent de femmes signent à Saint-Malo contre soixante quatorze pour cent des hommes. Une instruction massive existe parmi les commerçantes. A Lyon, soixante-seize pour cent des boulangères signent contre soixante-quinze pour cent des boulangers : seule exception notable. Les objectifs et les contenus scolaires ne sont d'ailleurs pas les mêmes dans les écoles séparées de garçons et de filles : ils renforcent l'inégalité.

Les « petites écoles »

Les fils du peuple accèdent rarement à l'enseignement des collèges. Huit mille boursiers sur cinquante mille élèves ne viennent guère des milieux populaires, à l'exception de fils d'artisans en province. Les autres terminent leurs études sur les bancs des écoles primaires.

La réputation des écoles villageoises n'est plus à faire. Mémoires et gravures concordent sur l'essentiel. Les locaux médiocres, parfois des granges ou des remises désaffectées où les bûches sont obligatoires pour les sièges ou le chauffage. Un matériel scolaire inexistant, des effectifs variables du simple au double, en période de travaux des champs, surtout lorsque la classe unique de sept à quatorze ans, accueille des élèves âgés.

Le contenu des études dépend de la formation des maîtres d'école : le mot instituteur, consacré en 1792, se répand dans la seconde moitié du XVIIIᵉ. A la campagne, la concurrence est inexistante, une dictée et une opération suffisent. La base de l'enseignement reste catéchique. L'enseignant lui-même se transforme souvent en auxiliaire du curé : sonner la cloche, entretenir les luminaires font partie de ses obligations. La méthode individuelle est répandue : le maître s'entretient avec un élève pendant dix minutes, pendant que le reste de la classe est plus ou moins occupé. On peut s'interroger sur l'efficacité de trois ou quatre années de cette pratique scolaire : s'ils sortent bons chrétiens, de nombreux élèves retombent rapidement dans une situation proche de l'analphabétisme. C'est évident pour les jeunes filles lorsque la religion et les travaux ménagers priment sur le reste.

Les « petites écoles » des villes assurent un enseignement plus strict, de meilleure qualité. Les maîtres, recrutés sur concours, sont proches des curés par leur origine sociale. Les frères des Ecoles chrétiennes contrôlent en 1789 trente-cinq mille élèves avec un millier d'enseignants issus de milieux modestes. Fils d'artisans, de laboureurs, de manouvriers, ils se dévouent pour l'enseignement des enfants du peuple. Ils tentent d'assouplir la discipline en supprimant les verges et les martinets vers 1780 pour ne garder que la lourde « férule de métal ». Mais la dominante reste l'enseignement religieux — trente-deux pages du manuel — et les règles morales de civilité chrétienne. L'enseignement des jeunes filles par les sœurs de Saint-Vincent-de-Paul est plus traditionnel : il porte sur le catéchisme, la couture, le blanchissage, la broderie, les dentelles et la tapisserie. En plus de certains cours, les orphelines travaillent dans les filatures de coton. Le réseau scolaire des villes est dense, avec cinq cents écoles élémentaires à Paris ; le recrutement se laïcise. Mais le contenu religieux et l'irrégularité de la scolarisation ne préparent pas les esprits à une contestation du régime et des valeurs en place...

LA CULTURE POPULAIRE

En dehors de l'institution scolaire s'affirme une culture populaire, originale mais dépendante des élites. Culture orale plus qu'écrite dans les campagnes, elle ne coïncide que partiellement à la diffusion de la littérature et des arts.

« Contes bleus » et almanachs

A la fin de l'Ancien Régime, la lecture est peu répandue dans les campagnes. Pourtant des imprimés à bon marché circulent, diffusés par les colporteurs. Ceux-ci apportent l'ouverture sur le monde, l'évasion. La plupart des éditions réservées au public populaire s'inspirent de la « Bibliothèque bleue », éditée à Troyes après 1760 par la maison Garnier. Il s'agit de livres recouverts d'une couverture de papier bleuté, de formats différents — in-12 à in-24 — et d'épaisseur réduite. Ils ne portent pas de noms d'auteurs, d'où de nombreuses contrefaçons. Au début les pages manquent et les coquilles se multiplient ; puis la qualité progresse avec de bas prix, un à deux sous, accessibles aux bourses paysannes.

En tête des sujets, la religion : livres de piété, de cantiques, « vies des saints ». A côté de l'inspiration chrétienne se développe une littérature du merveilleux à partir de contes de fées, puisés à un répertoire populaire très ancien, mais réécrits par l'élite. Dans le conte de Perrault, le bûcheron fait preuve d'imprévoyance en dévorant d'un coup les provisions d'une semaine, avant d'abandonner à nouveau Poucet et ses frères. La vision est péjorative : « tout est festin ou jeûne chez le bas peuple ». Mais la promotion de Poucet comme celle des bergères épousant les princes est une revanche sur la pauvreté. D'autres contes sortent de la littérature d'évasion nécessaire pour mettre en situation un personnage représentant le peuple : telle l'histoire, quatorze fois rééditée au XVIIIe siècle du « bonhomme Misère, qui fera voir ce que c'est la misère, où elle a pris son origine, comment elle a trompé la Mort et quand elle finira dans le monde. » Les autres thèmes abordés sont les épopées légendaires du Moyen-Age, les arts populaires, les farces et chansons. La bibliothèque bleue exclut tout réalisme ou révolte mais trouve un écho dans la sensibilité de ses lecteurs.

Les almanachs constituent le genre le mieux adapté à la culture populaire. Destiné à « la classe la plus modeste et qui lit peu », l'almanach propose une vision burlesque et familière de la vie paysanne. Avec le calendrier, la partie la plus appréciée est l'astrologie, les prédictions à partir des signes astraux et de la position des planètes. Nostradamus arrive largement en tête des prophètes aux XVII⁰ et XVIII⁰. L'almanach campe un univers de sorcellerie, de démons, de magiciens, de recettes pour guérir les maladies ou lutter contre les envoûtements. L'Eglise proteste contre sa diffusion. Mais il aborde rarement les aspects quotidiens et pratiques du monde rural. Ses bergers ont été revus et corrigés par les poètes. Toutes ces œuvres peuvent circuler par la lecture collective ou le conte oral, dans les veillées.

La culture populaire urbaine, plus riche, n'est pas plus contestataire, d'après *l'Encyclopédie* (article « Peuple »). « Les progrès des Lumières sont limités ; elles ne gagnent guère que les faubourgs ; le peuple est trop bête ; la multitude est ignorante et hébétée ». La Bibliothèque Bleue voit une plus grande importance des ouvrages religieux. Mais les progrès de l'instruction se reflètent dans la possession des livres : on estime qu'un tiers des familles possède des livres contre un sixième au début du siècle. Certains sont subversifs si l'on en croit la défense des colporteurs par Mercier « espèces d'hommes qui font trafic des seuls bons livres qu'on puisse encore lire en France et conséquemment prohibés ». En 1757, les colporteurs sans plaque officielle ou illétrés sont passibles de la mort ! Certains vendaient sans autorisation des échos déformés des Lumières. Des artisans connaissent ainsi les idées des philosophes, par des ouvrages de seconde main. Le danger vient plutôt de la rapidité de propagation de l'information collective. Le peuple ne lit pas les journaux trop coûteux mais est sensible aux « occasionnels », brochures bon marché lancées à grands tirages lors des événements marquants : la bête du Gévaudan, la naissance du dauphin. Des affiches et placards anonymes recouvrent en une nuit les murs de la capitale.

Le peuple urbain n'est pas coupé de certaines manifesta-

Le Chanteur de rue, de Moreau le Jeune.

tions artistiques, il applaudit les troupes ambulantes, les personnages de la pantomime ou du style poissard, comme le Père Duchesne, s'il reste absent du théâtre des élites... Il pos-

L'almanach et la piété populaire.

sède des estampes « moyen de culture familier », des scènes de genre ou natures mortes. Le jugement des Encyclopédistes sur la « bêtise » populaire paraît abrupt.

La révolution culturelle de l'an II

Foi et superstition

On peut approcher les mentalités populaires, en dépassant la vision des moralistes bourgeois. Ceux-ci insistent sur le mélange de dévotion et de superstition, sur la frivolité et la violence du peuple.

L'idée d'un peuple profondément croyant, sous l'Ancien Régime a longtemps prévalu. Le respect des règles catholiques paraît évident dans les campagnes. Presque tous les villageois prient, communient, se marient conformément aux commandements du clergé : pas de mariages les dimanches, abstinence du carême. Les naissances illégitimes, condamnées par l'Eglise sont inférieures à un pour cent du total (sauf en Picardie, Normandie et dans les Pyrénées). L'attachement des villageois au clocher de l'église (l'« esprit de clocher ») est proverbial, au point qu'on a fouetté des cloches pour punir les habitants. Un mélange d'obligations, de services fait du curé le personnage du village, l'intermédiaire de Dieu et du roi auprès des fidèles de la paroisse.

Ce schéma doit être nuancé. Des historiens du Moyen-Age et de la Renaissance ont été frappés du caractère superficiel du catholicisme des foules de certaines provinces. Plus récemment, des sociologues ont cherché dans l'histoire l'explication de l'indifférence des masses ouvrières et parfois rurales. Des cartes de la pratique ont été dressées. Elles montrent des défections de vingt-cinq à cinquante pour cent aux messes et communions de villes comme Châlons-sur-Marne, Auxerre, Clamecy, Bordeaux, Rouen et Paris. Des régions entières comme la banlieue lointaine de Paris ou la Champagne sont marquées par une déchristianisation lente, plus sensible sur les grands axes de circulation et les plaines. Certains milieux restent en marge de la propagande et de l'éducation religieuse : travailleurs saisonniers, journaliers, population flottante des villes « sans foi, ni loi », vagabonds que l'Eglise cherche à renfermer dès le XVIIᵉ. D'autres sont réputés pour leur anticléricalisme : aubergistes, travailleurs des forêts, des ports, vignerons...

L'image d'un peuple superstitieux tient davantage. Les campagnes sont remplies de mages, de jeteurs de sorts, de guérisseurs aux dons surnaturels. Le démon manifeste sa présence familière sous les formes les plus diverses : jeune fille, loup... Les bergers des almanachs tirent de la contemplation de la nature des qualités exceptionnelles de prophètes.

L'Eglise s'oppose violemment à la crédulité dans les signes, les astres, les esprits. Mais elle se trouve impuissante devant le culte populaire de certaines reliques : on provoque la pluie en plaçant une image sur la statue de Saint-Médard. Les philosophes rejoignent pour une fois les prêtres pour dénoncer ces « ténèbres » des mentalités populaires.

Comment un berger doit évoquer le diable

« Il faut tuer un chat noir, une poule noire, un agneau noir de l'année, une pie et un merle, pour faire un charme avec leur sang mêlé, dans un lieu désert. Brûler les entrailles, les pattes, les têtes, les peaux ou les plumes, excepté la peau du chat noir ; en jeter une pincée du côté des quatre vents cardinaux, en disant : "Esprit qui souffle, souffle sur moi !"... Alors on y verra immanquablement le diable. On lui parlera et il répondra. »

La révolution culturelle de l'an II

« Dansant et sautant avec autant d'insolence »

Peine perdue : la frivolité du peuple éclate dans ses fêtes spontanées. Plus exactement de nombreuses fêtes religieuses dégénèrent en manifestations profanes. En Auvergne, le clergé condamne les « baladoires » : les foules ne pensent qu'à y jouer aux quilles ou aux « rampeaux », chahuter devant les fenêtres des belles et des notables — les « charivaris » —, s'exciter au spectacle des oies décapitées, s'enivrer et danser à la clôture. En Provence les « bravades » sont mises en scène par des organisations de jeunes. La jeunesse, en armes et uniforme, accompagne des processions burlesques, les chars de divinités païennes dans des carnavals où éclatent des fusées. La religion est absente d'autres réjouissances populaires comme la plantation des arbres de mai, les courses ou sacrifices d'animaux, la grande cérémonie de la Tarasque à Aix. Dans les « reinages » provençaux il arrive que le « roi » soit aspergé d'eau bénite par les jeunes « abbés » ou « princes » du jour.

Les jeunes dans la fête

« Au-devant de la porte de l'église, dansant et sautant avec autand d'insolence que si la maison de Dieu Vivant serait devenue un temple de Bacchus dont ils portaient en triomphe une image qu'ils avaient dressé de paille couverte de neige, avec des postures qui feraient dresser les cheveux à ceux-là mêmes qui avaient la moindre teinture de christianisme. »

Rapport du curé de Champeix

Malgré ces débordements, la religion n'est jamais tout à fait absente des fêtes populaires. La violence verbale n'est qu'éphémère : l'inversion sociale ou le blasphème n'entraîne pas de révolte contre l'ordre moral, comme ce fut parfois le cas au Moyen-Age.

« *Des couches dangereuses* »

De la frivolité à la débauche, le pas est allègrement franchi par les moralistes. Le cabaret est présenté comme le lieu de perdition où les gens du peuple dépensent l'argent péniblement gagné et tombent dans l'immoralité. « Je hais les joueurs et les ivrognes » déclare Rétif, observateur attentif du peuple parisien. Ce dernier est atteint par la rage des jeux : dames, loto, dominos, cartes, loteries, dés, jeux de l'oie, tout est bon pour passer le temps. Les cabarets constituent, face à l'église, le second lieu de rencontre des villageois ou des ouvriers. Dans les villages d'Auvergne, le dimanche après-midi est le moment des rixes ou des jeux violents, après la fréquentation du tripot. Dans les villes se multiplient les débits, tavernes, auberges, guinguettes : un pour deux cents habitants à Lyon, un pour cent cinquante à Paris en 1789 et même un pour quatre-vingts dans le faubourg Saint-Marcel. Les ouvriers s'y rassemblent le dimanche et surtout le lundi soir, particulièrement craint des autorités pour les bagarres et tapages nocturnes. S. Mercier dénonce « les ouvriers et les companons qui font ce qu'ils appellent le lundi et même le mardi ». Ils boivent le « guinguet » petit vin bon marché et dansent tard.

De nombreuses femmes fréquentent les cabarets et les guinguettes. Largement majoritaires dans les quartiers populaires — cinquante-cinq pour cent dans le faubourg Saint-Marcel ; cinquante-trois pour cent à Saint-Antoine —, elles vivent dans une solitude qu'elles n'ont pas choisie. Abandonnées, chassées par leur famille, « cherchant de l'ouvrage », elles se regroupent alors et mènent dans ces lieux une vie sociale qui ne choque personne en dehors des moralistes.

Ceux-ci stigmatisent alors la violence des « couches dangereuses ». Une violence réelle, aggravée par les rumeurs et les faits divers. La violence populaire possède ses quartiers particuliers, les espaces surpeuplés du Carré des Halles ou de Saint-Marcel, un véritable « cloaque » ; elle se multiplie aux heures chaudes entre dix-huit et vingt-quatre heures ; elle oppose ses couples : propriétaire contre locataire, créancier contre débiteur, gendarmes contre compagnons. Elle touche des milieux précis : quatre-vingt-dix pour cent des détenus sont nés hors de Paris, sont illétrés, mais rarement marginaux ; intégrés à leurs quartiers, ce sont souvent des manœuvres et des compagnons. Les femmes forment dix à douze pour cent des délinquants arrêtés. Mais, contrairement aux idées reçues, cette violence populaire est de moins en moins pathologique : les crimes de sang et les violences ont été remplacés par des délits de la misère ; vols d'habits et d'aliments sont la trame monotone d'une violence banalisée, décrite dans ses effets, rarement dans ses causes.

Les dénonciations du peuple par l'élite sont globales mais surprenantes. Car le relâchement moral s'étale aussi dans les fêtes galantes de l'aristocratie. Les jeux destructeurs exercent leurs ravages sur de nombreux nobles qui engloutissent des sommes folles dans les roulettes, les « biribis », les cartes. Pour les milliers de « tapins », combien de courtisanes et de demi-mondaines ? Les enfants illégitimes à Paris ne viennent pas en majorité des ménages populaires mais bien des couches supérieures de la société (deux tiers d'après Roche). La violence populaire a son écho dans les scandales, les crimes des privilégiés. Les procureurs sont-ils bien placés pour donner des leçons de morale au peuple ?

Complainte des Filles de Joie vers la Salpêtrière.

LES ÉLITES FACE AU PEUPLE

Pour les élites, les vices du peuple justifient le maintien de son infériorité intellectuelle et matérielle.

Les économistes jugent indispensable l'exploitation des travailleurs par les bas salaires. Ces physiocrates condamnent toute limitation du prix des denrées de première nécessité au nom de la liberté. C'est le besoin qui rend l'homme du peuple travailleur « la cherté donne plus de vigueur au bras du travailleur ; il est mauvais d'accoutumer le peuple à acheter à trop bas prix ; il en devient moins laborieux, paresseux et arrogant ». Lorsque le roi taxe les subsistances en période de grave crise — la guerre des farines de 1775 — on lui reprochera de favoriser indirectement le soulèvement populaire.

La plupart des philosophes condamnent les superstitions populaires et les fêtes spontanées. Elles sont indignes d'un peuple libre ; elles manquent de la grandeur et de la vertu du peuple grec. « Le peuple partout imbécile accourt à ces sottes cérémonies ». Mais ils ne souhaitent pas non plus développer l'instruction populaire. Voltaire résume la vision des élites en 1766 « J'entends par peuple la populace qui n'a que ses bras pour vivre. Je discute que cet ordre de citoyens aie jamais le temps ni la capacité de s'instruire. Il me paraît essentiel qu'il y ait des gueux ignorants. Ce n'est pas le manœuvre qu'il faut instruire, c'est le bon bourgeois ». Rousseau pense que l'éducation corrompt le peuple et l'empêche d'être vertueux. Il n'est pas question de partager les « talents ». La question scolaire sera très peu abordée dans les cahiers de doléances.

Distraire et surveiller

Pour l'encadrement du peuple par les élites, deux solutions se dégagent : distraire, mais surveiller.

Distraire par le spectacle des fêtes, des concerts, des illuminations, des dérivatifs. La fête royale pour la naissance du dauphin en 1766 sera grandiose malgré 135 morts.

Surveiller. « La populace délivrée du frein auquel elle est accoutumée s'abandonnerait à des violences d'autant plus cruelles qu'elle ne saurait elle-même où s'arrêter » (Mercier). A Paris l'ordre est maintenu par le Lieutenant de Police, des inspecteurs, quarante-huit commissaires, cent quarante hommes de guet, mille gardes et des troupes occasionnelles. Des indicateurs et des « mouches » font parvenir des rapports quotidiens sur l'état de l'opinion publique.

La répression est permanente. Les ouvriers sont contrôlés au moyen des livrets, institués en 1775. Les grèves des compagnons et des travailleurs entraînent la pendaison des meneurs, à Lyon en 1786 pour la « grève des deux sous ». Les « maquerelles » sont périodiquement exposées sur des charettes et fouettées publiquement, pour l'exemple. Des indigents et des indigentes sont enfermés dans des établissements spécialisés : les plus malades au mouroir de l'Hôtel-Dieu (deux mille cinq cents places) ; des marginaux, des malades mentaux à Bicêtre (quatre mille places, quatre cents décès par an) ; des prostituées, des femmes dangereuses à la Salpêtrière (sept mille femmes entassés, six cent mortes par an).

Dans les campagnes, la justice revient au seigneur, « protecteur » des villageois, mais juge et partie dans les litiges sur les redevances et les délits de braconnage.

La révolution culturelle de l'an II

Un siècle calme

Grâce à ce contrôle, les villes paraissent calmes. Mercier semble regretter que le peuple de Paris soit incapable de se révolter. « Le peuple est mou, pâle, petit, rabougri. On voit bien du premier coup d'œil que ce ne sont pas des républicains. Il devient vain, débauché, pauvre et par conséquent avili. J'aime mieux le voir comme à Londres se battre à coups de poings et s'enivrer à la taverne que de le voir comme à Paris soucieux, inquiet, tremblant, ruiné et n'osant lever la tête. » Les troubles relatifs aux crises et aux grèves ont été oubliés. Les villes paraissent sûres.

Les grandes jacqueries (des XVIe et XVIIe siècles) ont disparu des campagnes. La réaction « féodale » et la lente confiscation des biens communaux par les seigneurs se poursuit, au rythme lent des procès perdus par les communautés villageoises. Les révoltes de la guerre des Farines (1775) ont été étouffées. Tocqueville met l'accent sur la confiance des élites en 1789. « Comme le peuple n'avait pas paru un seul instant depuis cent quarante ans sur la scène des affaires publiques on avait absolument cessé de croire qu'il put jamais s'y montrer ».

La surprise sera d'autant plus forte lors des grandes journées populaires de juillet-octobre et de l'insurrection paysanne de la Grande Peur à l'été 1789. La bourgeoisie présentera ces mouvements comme un alignement des masses sur l'ensemble de ses positions politiques.

C'est une erreur. Les soulèvements populaires ont leurs propres causes : l'hostilité aux privilèges ; la baisse du pouvoir d'achat.

Dans les villes, les difficultés permanentes sont aggravées par la crise de subsistances de 1789, provoquée par un orage de grêle le 13 juillet 1788. Les consommateurs sont touchés par la raréfaction et le renchérissement brutal du pain, pendant la « soudure », l'intervalle précédant la récolte suivante. La prise de la Bastille et la Grande Peur se déroulent au moment où le prix du pain est le plus élevé du siècle : quatorze sous le pain de quatre livres, quatre-vingt-huit pour cent du budget d'une famille ouvrière. Ces mouvements populaires avaient leurs exigences internes. La bourgeoisie, jusque-là indifférente aux problèmes populaires, doit composer avec les mouvements des masses. La Révolution de 1789 résulte de l'alliance de la prospérité bourgeoise et de la misère populaire. Ce compromis « populiste » va entraîner un bouleversement des relations entre l'élite du tiers et le peuple devenu pour la première fois un partenaire considéré et redouté.

Ah ça ira ça ira.

III. *Une révolution populiste ou censitaire*
(juillet 1789-août 1792)

« *Chaque officier tenait à la main une de
ces femmes qu'on a coutume de nommer
femme du peuple.* »
(Fête du 14 juillet 1790.)

Quelle est la place des couches populaires dans la première
révolution qui s'achève le 10 août 1792 par le renversement
de la monarchie ? Jusqu'en juin 1791, il est possible de parler
d'une période « populiste » : les masses urbaines et rurales
ont assuré par leurs soulèvements le succès du tiers-état et des
élites libérales. Elles sont naturellement intégrées à la marche
de la révolution. Leur « politisation » se développe avec la
participation aux manifestations et fêtes révolutionnaires. Des
intellectuels, journalistes, curés patriotes, se rapprochent du
peuple. Ils tentent de l'éduquer, de le faire adhérer aux principes de la révolution bourgeoise, par la propagande. Cette
tentative populiste tourne court au moment de la fuite du roi
— 20 juin 1791. L'élite dirigeante devenue « censitaire »
exclut le peuple de la participation politique et du droit à
l'existence. D'où la formation des mouvements des « sans
culottes », dotés d'un programme propre. Leur alliance avec

la faction démocratique de la bourgeoisie révolutionnaire — Jacobins de 1792 — ouvre avec la deuxième révolution d'août 1792 une période de participation effective du peuple au pouvoir et à la culture.

La Grande Peur

L'an 1789 voit l'irruption des masses populaires sur la scène politique, dans les journées décisives : la prise de la Bastille par les insurgés parisiens ; les émeutes paysannes de l'été 1789, baptisées de « Grande Peur », la capitulation royale d'octobre à la suite de deux journées où s'exprime un mouvement féminin massif. Ces soulèvements ont déconcerté l'élite par leur ampleur et leur violence.

La nuit du quatre août est-elle un moment unique de réconciliation nationale, où les privilégiés abandonnent l'essentiel de leurs prérogatives et droits particuliers, par « générosité et sacrifice » ? La réalité de cette « séance la plus mémorable qui se soit tenue jamais chez aucune nation » est tout autre. Le marquis de Ferrières, député, explique l'attitude de son ordre.

Tout est dit. Une immense insurrection paysanne a gagné en trois semaines les trois quarts de la France, à l'exception de la Bretagne, de l'Est, du Languedoc et de la Beauce.

C'est le peuple paysan qui se soulève. Il n'a qu'une vague conscience des événements parisiens. Mais il s'est mobilisé pendant la rédaction des doléances : celles-ci ont déclenché l'espérance, puis le désir de la libération. Les formes de la Grande Peur sont partout les mêmes. Au départ, la rumeur sur l'arrivée imminente des « brigands » ; l'insécurité permanente est renforcée par la crise violente de subsistances et

La noblesse au 4 août :

« Les circonstances malheureuses où se trouve la noblesse, l'insurrection générale élevée de toute part contre elle, les provinces de Franche-Comté, du Dauphiné, de Bourgogne, d'Alsace, de Normandie, du Limousin agitées par les plus violentes convulsions et en partie ravagées, les titres seigneuriaux recherchés avec une espèce de fureur et brûlés, l'impossibilité de s'exposer au torrent de la révolution... Tout nous prescrivait la conduite que nous devions tenir. »

Marquis de Ferrières
Lettre du 11 août 1789

l'extension du vagabondage. La communauté villageoise touchée réagit comme dans toutes les « émotions » paysannes : elle s'arme et envoie des représentants dans les paroisses proches. Lorsque la crainte des brigands disparaît, surgit celle des « aristocrates », qui vont punir le peuple, empêcher les réformes, voire susciter l'intervention étrangère. Les paysans armés, à l'exception des propriétaires aisés — pas toujours — se portent aux châteaux seigneuriaux, non pour les détruire, mais pour « vérifier » les titres des « terriers », cahiers des redevances, preuves de l'exploitation féodale. Au passage, ils brisent les clôtures des biens communaux récupérés « contre l'usage » par les seigneurs. En trois semaines on peut recenser plus de deux mille brûlements de titres ! Ce mouvement paysan est contre le régime seigneurial. S'il provoque la nuit du 4 août, il ne se satisfait pas du rachat des redevances et ne prendra fin qu'avec la suppression définitive de la féodalité. Trois semaines ont suffi pour que le peuple paysan impose sa présence dans le cours de la révolution.

La révolution culturelle de l'an II

Les hommes du 14 juillet

Les « journées » urbaines sont plus connues.

Qui sont les hommes du 14 juillet 1789, du 17 juillet 1791 ? Pour l'historiographie marquée par la Commune, représentée par Taine, ce sont les marginaux du peuple parisien, la « canaille » : une « bête », soumise aux pulsions les plus primaires, des vagabonds, des repris de justice, des analphabètes, des mal-logés.

Pour les chercheurs, la réalité est plus simple : les manifestants sont des gens du peuple. La prise de la Bastille a soulevé un tel enthousiasme qu'on établit peu après des *brevets* de « vainqueur de la Bastille » sur la preuve de la participation armée à l'événement. Sur six cent soixante-deux brevets attribués, dix pour cent des combattants étaient nés en province ; ce n'est pas une population flottante, sans feu, ni lieu. La proportion de révoltés vivant dans les « garnis » — vingt pour cent — est inférieure à la moyenne générale. Le pourcentage de « repris de justice » est négligeable, de un à deux pour cent de l'ensemble. Les chômeurs sont présents, mais sous-représentés. Le peuple qui manifeste n'est pas en marge de la société, s'il n'exclut pas les marginaux.

Les cortèges sont formés essentiellement d'artisans, de petits compagnons et d'ouvriers. Les cadres sont parfois des bourgeois comme le brasseur Santerre « commandant général du faubourg Saint-Antoine » mais la masse travaille dans les métiers de l'artisanat : menuisiers, ébénistes, cordonniers, chapeliers, maçons, chaudronniers, fondeurs. Si les travailleurs indépendants sont les plus nombreux, les salariés forment du quart au tiers des effectifs. Les manifestants sont d'âge mûr — trente-quatre ans de moyenne —, mariés, pères de famille, bien implantés dans leurs quartiers. Ils viennent majoritairement des faubourgs : deux tiers du faubourg Saint-Antoine pour le 14 juillet. C'est le peuple actif qui surgit sur la scène politique : les deux tiers des insurgés sont alphabétisés. La bourgeoisie aisée, numériquement secondaire, fournit « des meneurs », des avocats, des huissiers. Les foules révolutionnaires du Midi sont semblables par la composition à celles des journées parisiennes, à Marseille, Arles, Toulon, Avignon... Les femmes du peuple sont-elles exclues des mouvements ?

Les femmes des 5-6 octobre

Ce fut longtemps l'opinion des historiens, plus que des contemporains de la révolution. La révolution aurait été accomplie par les seuls hommes, les combattants, les politiciens, les travailleurs. Après un travail de falsification prodigieux, des travaux récents restituent aux mouvements féminins leur importance historique.

« Sans la participation des femmes, il n'est point de révolution ». C'est Mirabeau qui parle. Les « vainqueurs » de la Bastille ont leur équivalent féminin : les « héroïnes des 5 et 6 octobre » 1789. L'événement ne surprendra que ceux qui ignorent la situation des femmes du peuple, ménagères, consommatrices et travailleuses. La journée du 5 octobre commence banalement par les queues aux boulangeries : elle se poursuit à l'Hôtel de ville par une manifestation de femmes réclamant la taxation du pain, des rations alimentaires. Elles viennent de Saint-Antoine, de la Halle, de Saint-Denis. De là, le cortège va marcher jusqu'à Versailles, sur un trajet de plus de vingt kilomètres à pied. Le mouvement est restitué par de nombreuses illustrations, estampes. Les estimations sur l'importance de la manifestation varient : entre trois mille et

Marche des femmes sur Versailles (5 octobre 1789).

dix mille. La plupart des femmes portent des armes : haches, fourches, sabres, piques particulièrement. Elles envahissent les tribunes de l'Assemblée et obtiennent la promesse du ravitaillement. Le plus grand nombre passe la nuit sur place et

escorte le lendemain la famille royale vers Paris. L'impression
causée par la marche des Parisiennes fut considérable. Les
estampes exaltent « le retour triomphant des héroïnes françaises à Paris » ; les « Françaises devenues libres ».

Ces héroïnes sont des femmes du peuple touchées par la crise des subsistances. En 1775 déjà, pendant la guerre des Farines, des milliers de femmes s'étaient portées sur Versailles, avaient pillé les boulangeries et obligé le roi à « renoncer à la chasse ». L'organisation de la marche montre une pratique collective dans les quartiers à partir de centres de rassemblement possible : boutiques, marchés, cours d'immeubles. Une lecture attentive atteste la présence des femmes du peuple dans toutes les journées urbaines.

Ces manifestations ont permis le succès définitif de la Révolution incarnée par l'Assemblée Constituante. Les insurgés attendent une reconnaissance de leurs droits politiques et la satisfaction de revendications matérielles spécifiques. Quelle est la réponse des nouvelles « élites dirigeantes » ?

« *Celui qui s'abaisse on l'élèvera* »

Pendant la période populiste, le peuple est associé à toutes les manifestations et à tous les principes de la révolution en marche. Il est présenté comme le véritable bénéficiaire des affrontements.

Les gravures d'époque célèbrent l'unité des trois ordres : le personnage central, mis au niveau du noble ou du curé, est un paysan pauvre, parfois un ouvrier, rarement une femme du peuple. L'orchestre à trois instruments connaît le parfait accord : « que chacun porte son fardeau ». L'égalité prend même des formes d'inversion sociale : « les premiers sont les derniers », pour le paysan porté par les anciens privilégiés. L'avocat du tiers, en habit et perruque, est absent des représentations.

Le peuple participe à la diffusion des principes et des valeurs révolutionnaires. La Déclaration des droits de l'homme et du citoyen du 26 août 1789 est connue et commentée dans tous les villages. Elle affirme que les lois doivent rechercher le « bonheur de tous ». Le nouveau catéchisme, sous les « auspices de l'Etre Suprême », se limite pour beaucoup à l'article premier « Les hommes naissent et demeurent libres et égaux en droits ». Les curés le font apprendre par cœur à leurs paroissiens. Un vocabulaire politique nouveau s'impose dans les serments des cérémonies civiques repris par le peuple ; les sujets ont été remplacés par des « citoyens » ; le roi est limité dans ses pouvoirs par la « loi », expression de la volonté générale et par la « Nation ». Les décrets de l'Assemblée constituante tapissent les murs avec leur traduction en patois pour les régions de bilinguisme. D'autres moyens de propagation circulent avec rapidité dans tout le pays.

En particulier, les chants patriotiques. La chanson est le genre populaire par excellence. Les livrets, feuillets simples et bon marché, sont vendus par les colporteurs. En quelques semaines un événement peut être connu de tout le pays par sa version chantée. L'exemple du *Ça ira !* est célèbre : cinquante mille fédérés montent à Paris pour célébrer la prise de la Bastille, le 14 juillet 1790. Ils défilent au Champ de Mars en chantant : « Ah ça ira ! les aristocrates à la lanterne ! » De retour dans les foyers, ils propagent le chant révolutionnaire comme une traînée de poudre et... tout le pays chante, comme il chantera la *Carmagnole* en août 1792 et la *Marseillaise* ensuite. Dès 1789, les poètes multiplient les chansons patriotiques destinées au peuple. La déclaration des droits se chante, comme la prise de la Bastille ou le patriotisme : « Ran tan plan tire lire au plan ». Dans la sensibilisation politique de 1789, tout « commence et finit par des chansons ».

Carmagnole autour de l'arbre de la liberté.

Des symboles révolutionnaires

Entre 1789 et 1791, le peuple est associé à la mise en place d'une symbolique. Le symbole perd son mystère chrétien pour devenir un signe d'intelligence des révolutionnaires. Des symboles connus seulement de l'élite, comme les références à la franc-maçonnerie (l'œil, le triangle, l'équerre, le niveau, la balance) sont repris par les gens du peuple avec une signification nouvelle.

Ainsi la cocarde tricolore, le blanc royal entre les couleurs de Paris. Adoptée le 13 juillet par les Parisiens comme signe de ralliement, elle voyage rapidement dans le pays. Dès le 22 juillet on l'arbore à Moulins. Elle orne les chapeaux des patriotes à la fin de l'année. Présente dans toutes les vignettes, les actes officiels, elle devient l'emblème obligatoire rappelant la prise de la Bastille. Le clergé constitutionnel accroche les cocardes aux clochers : les autorités les fixent aux édifices publics, aux « arbres de la liberté ». Signe de résistance à l'autorité sous l'Ancien Régime, la cocarde symbolise la conquête de la Liberté.

A l'origine la plantation de l'arbre de mai par les communautés villageoises est une pratique populaire très ancienne, d'origine antique en Provence. Elle peut avoir une signification agraire précise de fertilisation des terres. Cette pratique est reprise sous la Révolution. Les premiers arbres plantés en 1790 dans le Périgord et le Poitou sont « sauvages » : installés en face des châteaux seigneuriaux, ils indiquent la volonté de défier le régime féodal. Par la suite, ils sont placés au centre du village ou du quartier. Dans le Midi, il s'agit de pins, dans le centre, de chênes. En 1793, au terme de l'évolution, près de soixante mille arbres de la liberté, parfois de la « fraternité », se dressent avec dans leurs branches, les insignes révolutionnaires : bonnets, cocardes, faisceaux rappelant les assemblages de verges de bouleaux attachés aux haches des licteurs romains. La Révolution multipliera leur représentation comme symbole d'unité. L'arbre de la liberté devient la halte indispensable lors des fêtes, le lieu des repas fraternels, des danses.

Il est en concurrence avec l'autel de la patrie. Les autels ont une double origine, grecque et chrétienne. En 1790, ils lient l'aspect religieux à un contenu patriotique nouveau. Les fêtes de la fédération, célébrées dans toutes les communes, ont souvent lieu en plein air. L'acte le plus solennel, le serment fédératif, est prononcé devant l'autel : quadrangulaire à Aix ou octogonal au champ de Mars. A la fédération de Strasbourg, le 13 juin 1790, des enfants nouveau-nés reçoivent le baptême civique, sur l'autel de la patrie.

La diffusion du bonnet de laine est plus complexe. A l'origine, le bonnet est le symbole de l'affranchissement des esclaves. Le tableau célèbre de David *le Serment du Jeu de Paume* montre un témoin pieds nus, en bonnet. Dès la fin de 1789, le port du bonnet devient un signe de patriotisme. A la fédération de mai 1790 à Lyon, une imposante statue de la Liberté est coiffée d'un bonnet phrygien. Il devient peu à peu la coiffure des hommes « libres », particulièrement dans les milieux populaires. Ainsi se matérialise progressivement la révolution dans les consciences. D'autres symboles — la pique — ou actes — les serments — associent le peuple aux autres acteurs de la révolution. Des gravures sur bois, représentant les scènes de la révolution avec des traits simplistes, des légendes rapides, sont répandues par les colporteurs à des millions d'exemplaires. La caricature, l'image contribuent à la prise de conscience des masses.

Le peuple dans la fête

Le peuple retrouve la symbolique nouvelle dans les fêtes révolutionnaires auxquelles il participe. La fête est un reflet du rapport des forces politiques et sociales du moment. La plus importante reste la Fédération de l'été 1790. Pour les historiens Michelet et Jaurès, elle représente le moment exceptionnel de l'unité nationale, la fraternisation de toutes les couches sociales, de toutes les provinces. La cérémonie parisienne du Champ de Mars, suivie par trois cent mille personnes, conclut de façon grandiose un vaste mouvement parti du Dauphiné en novembre 1789, qui touche l'Ouest en février 1790, l'Alsace, le Midi avec cinquante mille fédérés à Lyon, le 30 mai 1790, avant Paris. Le 14 juillet 1790, à midi, les quarante mille communautés de France prêtent le serment civique relaté dans les registres de délibérations des municipalités.

La Fédération est une fête populaire, puisqu'elle rappelle la prise de la Bastille ; les vainqueurs de la Bastille ne défilent que le lendemain, éclipsés par les vedettes du jour : La Fayette, commandant la garde nationale et le roi. Mais le peuple n'est plus spectateur ou badaud, exclu comme sous l'Ancien Régime. Les fêtes au village ont un déroulement typique. La matin, la messe dans l'église en sa présence. A midi, le serment qu'il peut répéter. L'après-midi, une procession vers l'autel de la patrie et un feu de joie qu'il contemple. Le soir, un repas donné par les autorités sans le peuple, suivi d'un bal réunissant « tous les citoyens ». Certes, les couches populaires sont plus associées qu'actrices. La fête est conçue pour les élites municipales et la garde nationale bourgeoise. Les notables dirigent les cérémonies, prononcent les serments, prennent place dans l'enceinte officielle à la table de repas. A Paris, comme ailleurs, la pompe officielle détruit la spontanéité. Mais le peuple peut mêler son allégresse à celle des « actifs » et suivre les initiatives. Le soir il assiste aux illuminations, danse. Dans un village le compte rendu note : « chaque officier tenait à la main une de ces femmes qu'on a coutume de nommer femme du peuple ». Par rapport aux fêtes « sauvages » des débuts de la révolution, sa place s'est réduite, mais elle n'est pas remise en cause.

La révolution culturelle de l'an II

« Oui, foutre, je suis le père Duchesne »

Les masses sont concernées par des campagnes « populistes » d'éducation politique. Le peuple des villes est particulièrement sollicité. Dès 1790, les séances publiques du « Cercle Social » voient des intellectuels débattre de problèmes civiques, devant des auditoires pouvant atteindre cinq mille personnes. Il peut s'informer par la lecture d'affiches et placards. Les murs proclament en une nuit « la grande trahison » de Mirabeau ou de Barnave. Il est également confronté à une presse populaire d'opinion.

Les journaux et périodiques connaissent jusqu'en 1793 une explosion, à la mesure de la puissance nouvelle des journalistes : « aujourd'hui les journalistes exercent un ministère public, ils dénoncent, décrètent, absolvent et condamnent » (Desmoulins). Jusqu'à l'interdiction de la presse populaire en juillet 1791, plus de cinq cents titres paraissent dans la seule capitale contre une quinzaine autorisés en 1788. Une dizaine de périodiques s'adressent aux masses. Tous sont écrits par des journalistes bourgeois. Les plus influents restent l'*Ami du Peuple* de Marat, médecin génevois, et le *Père Duchesne* de Jacques Hébert, ancien procureur.

L'*Ami du Peuple* paraît en septembre 1789. Marat lui consacre une activité prodigieuse : rédacteur, imprimeur, distributeur, il s'astreint à un numéro quotidien, il en rédigea un millier. Son journal est limité par tirage de deux mille exemplaires maximum. Il s'agit d'un éditorial de huit à douze pages de l'auteur sur les événements passés parfois depuis un mois. Marat ne fait pas de concession au public et rédige de façon souvent dense et peu accessible aux couches populaires.

PERE DUCHESNE
Foutre

Sa Colere se dissipe,   et de joyë fumant sa pipe,
Quand on obéit à la Loy;   Duchesne est content comme un Roy.

Portrait du Père Duchesne

« Figure-toi d'abord un bougre bien carré, bien trapu, bien facé, représente-toi deux larges moustaches, une pipe en forme de tuyau de poêle et une large gueule d'où sortent continuellement les bouffées de tabacs : vois les yeux épais et les sourcils étincelants de colère quand il songe à tous les maux... Oui, foutre, ce portrait terrible ne te donnera qu'une faible idée du Père Duchesne. »

N° 217

Le *Père Duchesne* démarre en septembre 1790, officiellement en janvier 1791. Le personnage repris par Hébert était connu comme une sorte de Polichinelle des foires, marchand de fourneaux dans des pièces jouées en 1788 et 1789. Hébert l'impose à cinq ou six concurrents. Le tirage du départ, cinq mille exemplaires, augmentera jusqu'à l'an II. Le rythme de parution est d'un numéro tous les trois jours, soit quatre cents numéros conservés, trois mille pages. Hébert se contente d'un éditorial de huit à seize pages. Il s'impose par le contenu et par le style. Il fait vivre de façon familière son marchand et son entourage, sa femme Jacqueline (il y aura des mères Duchesne), ses enfants, le général La Pique, Jean Bart. Le portrait du père Duchesne se modifie dans les vignettes pour symboliser les sans-culottes. Hébert excelle à proclamer la « grande joie » ou la « grande colère » de son personnage, à mettre en scène des dialogues avec les grands du moment. Le roi lui dit dans le n° 74 : « Tu as raison, père Duchesne, je connais mes devoirs. Je tâcherai de les remplir. Je signerai la Constitution, je te le jure ; donne-z-en l'assurance à tous les Français ». On parle souvent du style grossier et poissard du père Duchesne. En fait, les articles sont rédigés dans une langue pure, mais émaillés toutes les cinq ou six lignes de jurons : « foutre » et les variations « foutant », « foutu » plus nombreux que « merde ». En 145 lignes de texte on trouve vingt-six « foutre », procédé répétitif destiné à recréer l'auditoire. Le Père Duchesne, modéré, royaliste, croyant au début, évolue au rythme des événements révolutionnaires et du public auquel il s'adresse. Imité par des plagiaires, il reste un phénomène tout à fait remarquable de la presse populaire, même si le prix — huit sous — est élevé pour des travailleurs.

Des « *instituteurs des hameaux* »

Une presse politique destinée au peuple des campagnes peut être qualifiée de « populiste ». Rallier les couches paysannes à la révolution est indispensable, en raison des troubles graves qui agitent les campagnes jusqu'en 1792. Les intellectuels qui s'adressent aux paysans sont nombreux : la *Feuille du Cultivateur*, la *Feuille du Laboureur*, l'*Almanach des Campagnes* ont moins de succès que l'*Almanach du Père Gérard* et surtout que la *Feuille Villageoise*, qui incarne l'« esprit de 1790 » et sa vision nouvelle du peuple paysan.

La *Feuille Villageoise* paraît le 29 septembre 1790, peu après la fête « unanime » de la Fédération. Dès 1791, elle connaît le plus fort tirage de l'ensemble de la presse révolutionnaire avec dix-sept mille abonnés. Ce chiffre remarquable s'explique par les objectifs des rédacteurs. Le périodique est adressé aux paysans, « race négligée, portion la plus utile et la plus nombreuse ». Ces paysans pauvres seraient vertueux par nature, mais pervertis par les lois. Les journalistes se veulent des « instituteurs des hameaux » objectifs : « nous voulons être indépendants de tout pouvoir, de tout parti et de toute opinion ».

Le prix, la forme et le fond répondent au souci pédagogique. L'abonnement annuel est de sept livres et quatre sous — une semaine de travail d'un ouvrier — pour un numéro par semaine contre vingt-quatre livres au *Père Duchesne*, trente-six livres au *Patriote français* de Brissot. La présentation matérielle des seize à trente-deux pages est nette, les fautes de frappe sont rares. La langue est accessible, simple, directe, mais jamais grossière. « Cette manière de jurer du Père Duchesne est une mauvaise habitude : la trivialité est un signe de l'avilissement dans lequel les anciennes lois avaient plongé le peuple ; nous voulons qu'il se relève, qu'il s'épure, qu'il sente sa dignité : nous parlons le langage le plus pur, le plus digne, le plus élevé ». Le contenu se rapproche d'un « véritable » cours d'instruction populaire avec des leçons

Nécessité de l'éducation paysanne

« Il n'est aucun Français qui ne puisse parcourir tous les degrés de l'instruction publique et s'élever un jour de la charrue et de l'humble atelier de son père jusqu'à la société nationale des sciences et des arts. » (Juin 1793.)

« Le plus grand service que les villageois puissent rendre à leurs enfants est d'apprendre à lire. » (1791.)

« L'instruction est en elle-même un trésor et qui vaut mieux un bonheur. » (1792.)

« L'instruction seule lui manque (au paysan) pour distinguer les apparences. » (1792.)

La Feuille Villageoise

LA
FEUILLE VILLAGEOISE,

ADRESSÉE, CHAQUE SEMAINE,

A TOUS LES VILLAGES DE LA FRANCE,

POUR LES INSTRUIRE

Des Loix, des Événemens, des Découvertes qui
intéressent tout Citoyen:

PROPOSÉE PAR SOUSCRIPTION

Aux Propriétaires, Fermiers, Pasteurs, Habitans et
Amis des Campagnes,

A 7 liv. 4 sols par an, Franc de Port.

L'ignorance du bien est la source du mal.

---

*Par Corette Goumet
et Georges*

BIBLIOTHÈQUE ROYALE

⊥ 2400
F

A PARIS,
Chez DESENNE, Libraire, au Palais-Royal, N.º 1 et 2.

1790.

Le plus fort tirage de l'époque.

d'histoire, de géographie, d'économie, un dictionnaire, en plus des nouvelles. Des dialogues, des fables sont adaptées à un public modeste.

La réalité diffère pourtant des objectifs de départ. La *Feuille villageoise* n'est guère lue par les « bons villageois » pauvres. Elle passe par les « clartés intermédiaires » des personnes aisées et instruites : « riches propriétaires, fermiers aisés, curés patriotes, médecins et chirurgiens ». Ce sont ces notables qui doivent instruire le peuple : « nous avons pensé que la classe opulente se prêterait sans peine à payer l'instruction aux plus pauvres. Une foule de bons pasteurs et d'honnêtes propriétaires se sont chargés d'expliquer nos leçons ». Pour chaque abonné, les rédacteurs espèrent une vingtaine d'auditeurs pauvres. Les curés qui adressent la plupart des lettres publiées sont les premiers auxiliaires des journalistes.

L'étude serrée du périodique montre la volonté de répandre dans les campagnes la politique et l'idéologie de la bourgeoisie dirigeante, feuillante puis girondine. Il faut enraciner les principes de 1789, persuader le peuple de payer les impôts, les redevances : « Il faut apprendre deux choses : à juger et à obéir... La liberté c'est n'obéir qu'aux lois... Liberté égale devoir... Si vous refusez l'impôt vous détruisez la liberté ». Par l'instruction, les journalistes justifient des inégalités de la société et freinent le mouvement populaire sur les subsistances : « il n'y a point d'abus dans l'inégalité de fortune en elle-même ». La *Feuille* condamne toute démocratie directe du peuple : « aristocratie de l'ignorance, de la cruauté, de la grossièreté... égalité de l'ignorance et de l'infamie ». Elle préserve le fossé social qu'elle désirait combattre au départ : « Voulez-vous redevenir esclaves ; donnez le droit de vote aux non-actifs ». La tentative « populiste » aboutit à une impasse. La naissance d'un mouvement populaire déroute les rédacteurs, les fait s'éloigner des catégories qu'ils avaient vainement tenté d'éduquer.

La participation populaire à la Révolution s'inscrit donc dans des limites imposées par les élites dirigeantes. Des refus sociaux, matériels, culturels conduisirent progressivement à la rupture de l'été 1791.

« On en à fait pendre un par jour... »

Dans les campagnes, la suppression de la dîme et des corvées, l'égalité fiscale ont allégé la charge paysanne mais les droits seigneuriaux sont déclarés rachetables. Les Constituants sont hostiles à la féodalité mais demandent le respect de tous les titres de propriété ; la preuve de l'usurpation doit être fournie par les communautés paysannes. Cette législation entraîne la poursuite des révoltes paysannes, après la Grande Peur : fêtes sauvages où l'on brûle les titres et détruit les girouettes, occupation collective des communaux.

Dans les villes, les concessions sont encore plus limitées. Au lendemain du 14 juillet, la municipalité parisienne taxe le pain à deux sous la livre, comme d'autres grandes villes. Il le restera jusqu'en 1795. Le roi restitue les objets et vêtements populaires escomptés au Mont de Piété ; il ouvre de nouveaux ateliers de charité pour les chômeurs de plus en plus nombreux dans la capitale, avec l'afflux des provinciaux touchés par la crise. Mais les autorités interdisent toute manifestation ouvrière, coalition ou grève.

Une semaine avant la réunion des Etats Généraux, le 27 avril 1789, s'était produit un « incident » révélateur : deux manufacturiers du faubourg Saint-Antoine avaient déclaré qu'un ouvrier pouvait vivre avec « seize sous par jour ». Cinq à six cents ouvriers manifestent alors, pillent les demeures des industriels. Le lieutenant de police ordonne de tirer par feux de file : on dénombre entre cinquante et cent cinquante morts parmi les émeutiers. Le 29, deux « meneurs » sont pendus. Les autres sont arrêtés : sept sont condamnés aux galères, deux autres, dont une femme, à la pendaison.

La presse royaliste répand le bruit de la participation de la « canaille » et des brigands aux troubles. En fait, les manifestants identifiés, jeunes (trente ans), d'origine provinciale, étaient des salariés des faubourgs et des entreprises Réveillon.

Mais que disent les députés patriotes du tiers-état, qui demanderont six semaines après l'appui du peuple des faubourgs ? Ils accueillent avec désinvolture l'événement, acceptent la version officielle.

Rapport d'un député du tiers sur l'affaire Réveillon

> « Mardi dernier il y a eu une émeute audacieuse au faubourg Saint-Antoine à Paris. Les séditieux pillèrent plusieurs maisons, les gardes françaises en tuèrent *environ* cinquante. Depuis cette époque on en a fait pendre un par jour. Le ministère a fait venir trois régiments à Paris, le calme a succédé à l'orage. La cherté du pain a servi de prétexte à cette fermentation dangereuse. »

La bourgeoisie constituante définit ainsi juste avant la révolution ses options sociales.

En juin 1791, elle ôte complètement le masque sur les questions de chômage et des grèves ouvrières. Les ateliers de charité pour les hommes s'étaient développés depuis 1789. Fin 1790, dix-huit mille chômeurs étaient occupés à faire des terrassements au Champ de Mars ; ils étaient trente mille en juin 1791. Les Constituants dénoncent le coût des ateliers — vingt sous par jour par chômeur — et le danger de maintenir une masse contestataire. Ils décident de fermer tous les ateliers masculins le 16 juin 1791. Les travailleurs chassés peuvent retourner chez eux ou louer leurs bras pour les moissons... Seuls les ateliers de filatures pour les femmes sont maintenus. L'assemblée ne réagit pas, ni les journalistes.

Pas de réaction non plus lors du vote de la loi Le Chapelier, le 14 juin 1791. Des grèves avaient été déclenchées en mai par les ouvriers typographes de « l'Union fraternelle des ouvriers de l'art et de la charpente », et par les maréchaux-ferrants, pour diminuer une journée de travail de plus de treize heures. La loi Le Chapelier, au nom de la liberté de travail, interdit toute réunion ou concertation d'ouvriers, tout arrêt pacifique ou organisé du travail. Elle prévoit des amendes considérables et la prison pour les « fauteurs » et les « meneurs ».

Elle est adoptée sans débat en juin 1791.

Le même refus est opposé par les législateurs aux paysans pauvres qui taxent les céréales au printemps 1792. Les campagnes de la zone ravitaillant Paris se soulèvent autour des marchés à grains. Trente mille paysans armés arrêtent les convois à Noyon (dans l'Oise), stockent les céréales, s'opposent aux autorités. Au marché d'Etampes, cinq mille personnes taxent le pain au prix ancien ; le maire, appuyé par quatre-vingt gardes est pris à partie et tué par la foule. La législative en fait un martyr, célébré dans une fête solennelle le 3 juin ; elle décrète la peine de mort pour ceux qui proposent ou exécutent la taxation. Le « populisme » est déjà loin.

« Art. 4 : Si, contre les principes de la liberté et de la constitution, des citoyens attachés aux mêmes professions, arts et métiers, prenaient des délibérations ou faisaient entre eux des conventions tendant à refuser de concert ou n'accorder qu'à un prix déterminé le secours de leur industrie ou de leurs travaux, lesdites délibérations ou conventions, accompagnées ou non du serment, sont déclarées inconstitutionnelles, attentatoires à la liberté et à la déclaration des droits de l'homme et de nul effet : les corps administratifs et municipaux sont tenus de les déclarer telles. Les auteurs, chefs et instigateurs qui les auront provoquées, rédigées ou présidées seront cités devant le tribunal de police à la requête du procureur de la commune, condamnés chacun à cinq cents livres d'amende, et suspendus pendant un an de l'exercice de tout droit de citoyens actifs et de l'entrée dans les assemblées primaires. »

Loi Le Chapelier (14 juin 1791)

ACTIFS ET PASSIFS

Au refus matériel s'ajoute le refus constant d'accepter la participation effective du peuple aux affaires politiques.

« Les femmes ont une âme, mais... »

La question fut vite réglée pour la moitié de la population adulte. Les femmes *ne sont pas admises* à la citoyenneté. L'Assemblée est unanime pour les exclure de toute réunion politique. Les cahiers de doléances n'avaient pas abordé le problème. Jusqu'en août 1792, le mouvement féminin se réduit à quelques troubles de subsistance. Les protestations féministes viennent des élites. Condorcet plaide en 1790 pour « l'admission des femmes au droit de cité » dans son journal. Il déclenche une campagne de protestations antiféministes d'une rare violence. Théroigne de Méricourt, la « belle liégeoise », propose au Club démocrate des Cordeliers la construction d'un temple à l'emplacement de la Bastille en février 1790. Elle est applaudie comme une « excellente citoyenne ». Elle demande alors son admission au club, à titre consultatif. Le président déclare son embarras : « Un canon du concile de Mâcon ayant reconnu formellement que les femmes ont une âme et la raison comme les hommes... mais il n'y a pas lieu de délibérer ». En juillet 1791 la baronne Etta Palm lance un « Appel aux Françaises sur la régénération des mœurs et nécessité de l'influence des femmes dans un gouvernement libre ». Elle est écoutée... avec courtoisie. Olympe de Gouges, femme de lettres, publie en septembre 1791 le pamphlet le plus radical contre l'oppression des femmes : la « Déclaration des droits de la femme et de la citoyenne », reprenant la Constitution masculine. Le préambule affirme que le sexe féminin est « supérieur en beauté et en courage ». La femme doit se voir reconnaître tous les droits de l'homme, celui de concourir à la loi (art. VI), celui d'être arrêtée et exécutée (art. VII et X), celui d'exercer les emplois publics (art. VI). De plus, les mères célibataires doivent être libres et égales aux autres.

Cette déclaration se veut provocante dans la forme. Les citoyens sont compris dans l'ensemble féminin « *toutes* les citoyennes et citoyens » (art. VI). Mais ce texte fondamental pour le mouvement féministe ne soulève aucun écho. La pro-

Déclaration des droits
de la femme et de la citoyenne

Art. XI. : La libre communication des pensées et des opinions est un des droits les plus précieux de la femme, puisque cette liberté assure la légitimité des pères envers leurs enfants. Toute citoyenne peut donc dire librement, je suis mère d'un enfant qui vous appartient, sans qu'un préjugé barbare la force à dissimuler la vérité sauf à répondre de l'abus de cette liberté dans les cas déterminés par la loi.

Olympes de Gouges
septembre 1791

testation est limitée à un milieu restreint, sans contact avec les couches populaires. Une « Société fraternelle de l'un et l'autre sexe » fondée en 1790 par l'instituteur Dansart autorise les femmes à parler à la tribune, à siéger et voter, mais avec quatre fois moins de membres que les hommes. Pendant la période censitaire, les femmes du peuple sont passives.

Pour les hommes, la distinction se fait entre « actifs » et « passifs ». Les élections aux Etats Généraux avaient concerné près de six millions de Français « âgés » de plus de vingt-cinq ans et domiciliés. Mais des villes avaient imposé des limitations selon la fortune. A Paris, pour cent cinquante mille hommes adultes il y eut trente mille électeurs possibles et onze mille sept cents votants. Ces limites financières deviennent la règle pour voter, siéger dans les administrations ou corps constitués. Sans propriété ni aisance, le Français est un passif « protégé » par une loi qu'il ne peut influencer. Le 22 octobre 1789, Dupont de Nemours établit clairement les critères de distinction. « Pour être électeur, il faut avoir une propriété, il faut avoir un manoir. Les affaires administratives

90

concernent les propriétés, les secours dus aux pauvres. Nul n'y a intérêt que celui qui est propriétaire. Les propriétaires seuls peuvent être électeurs. Ceux qui n'ont pas de propriété ne sont pas encore de la société, mais la société est à eux. »

Sur sept millions d'adultes, le cens exclut trois millions de personnes. Journaliers, ouvriers, compagnons, petits métayers ne voteront pas jusqu'en août 1792. Ils ne peuvent siéger dans les assemblées villageoises pour élire les autorités municipales et délibérer.

Ils sont écartés du service armé de la garde nationale. Le 26 juillet 1789 sont exclus « les ouvriers et artisans non domiciliés et dont le temps est trop précieux pour être enlevé aux besoins de la société ». Les autres ouvriers et compagnons doivent faire les frais énormes de l'uniforme *(quatre louis !)*. Seuls, les « vainqueurs de la Bastille » sont autorisés à porter l'uniforme pour garder les barrières. La garde bourgeoise touche vingt-quatre mille personnes sur cent cinquante mille possibles ! Pendant près de trois ans, les affaires publiques et le maintien de l'ordre échappent à tout contrôle ou influence populaires.

C'est dans les élites que se nouent les conflits essentiels pour la redistribution des places et des responsabilités et pour la transformation de la culture.

LE COMPROMIS DES ÉLITES

Dans la lutte entre le mérite et la naissance, la bourgeoisie constituante l'emporte, tout en recherchant le « compromis » avec les éléments libéraux de la noblesse et du clergé.

La noblesse perd à partir du 4 août 1789, l'ensemble de ses privilèges de fonction : les charges de l'administration, de la justice et de l'armée sont désormais accessibles aux roturiers.

Le Petit Condé

Piquant des deux l'Autruche sur lequel il est monté

Les monopoles liés à la naissance sont abolis. Tous les privilèges honorifiques disparaissent, en théorie du moins : l'épée, les bancs à l'église, les loges au théâtre, les garanties judiciaires, les droits exclusifs de chasse, de colombier. L'égalité fiscale termine le nivellement fiscal voulu par la bourgeoisie. Les titres de noblesse sont supprimés en juin 1790, les ordres de chevalerie en juillet 1791.

La suppression des titres de noblesse

> Art. 1er : La noblesse héréditaire est pour toujours abolie ; en conséquence, les titres de prince, de duc, de comte, marquis, vicomte, baron, chevalier, messire, écuyer, noble et tous autres titres semblables, ne seront ni pris par qui que ce soit ni donnés à personne.
>
> Art. 2 : Aucun citoyen ne pourra prendre que le vrai nom de sa famille ; personne ne pourra porter, ni faire porter des livrées, ni avoir d'armoiries ; l'encens ne sera brûlé dans les temples que pour honorer la divinité, et ne sera offert à qui que ce soit. »
>
> 23 juin 1790

Une partie de l'ordre s'oppose résolument à ces réformes. Les Parlements, qui avaient mené la lutte de l'aristocratie sont supprimés.

Mais les nobles conservent l'essentiel dans le « compromis ». Les signes extérieurs sont préservés dans l'ensemble : armoiries, grilles, girouettes... Les propriétés sont intactes jusqu'à la déclaration de guerre contre l'Autriche, en avril 1792, renforcées même par l'acquisition de biens du clergé. Les redevances continuent à être versées par les paysans ou sont rachetées, grâce à l'appui de l'Assemblée et des gardes bourgeoises.

D'où la participation remarquée des nobles libéraux au mouvement. La version noble de la nuit du 4 août est connue. Ce qui l'est moins c'est leur influence politique jusqu'à la fuite du roi. Sur cinquante-trois présidents de l'Assemblée constituante, trente-trois appartiennent à la noblesse, comme le duc d'Aiguillon et le duc de La Rochefoucauld. La haute noblesse dirige des administrations de département ou de district. De nombreux officiers de la garde nationale viennent de ses rangs. Le grand personnage de 1790, l'année heureuse, est le marquis de La Fayette, représentant de la noblesse militaire, commandant en chef des « six millions de citoyens en armes ». Il incarne le compromis entre l'ancienne « élite dirigeante » et la bourgeoisie « à talents », sur le modèle de la révolution anglaise du XVIIᵉ siècle.

La situation est semblable pour le clergé, avec des pertes plus grandes, une résistance plus dure de certains prêtres, compensée par l'engagement total du reste aux côtés des Constitutionnels.

A la fin de la période censitaire, l'Eglise catholique a perdu l'essentiel de ses privilèges. Elle n'est plus religion dominante et officielle puisque les cultes protestants et juifs ont été autorisés, avec du retard pour la question juive (septembre 1791). Le catholicisme n'est plus que la « religion de la majorité des Français ». Tous les privilèges administratifs et financiers ont disparu dans la Constitution civile du Clergé de juillet 1790. Le clergé doit rentrer dans le cadre des départements et des districts. Les évêques et les curés sont désormais élus par les fidèles, salariés par l'Etat. En conséquence, les biens du clergé

PRETRE PATRIOTE
prêtant de bonne foi le serment Civique.

Un clergé intégré à la Nation.

sont confisqués à l'exception des cures et des presbytères. Le nouveau clergé dépend désormais de la Nation et non du pape ou de la hiérarchie ecclésiastique. Les évêques, curés et vicaires doivent prêter un serment de fidélité ou être considérés comme « réfractaires » et adversaires de la révolution. L'élite et la moitié du bas clergé refusent le serment et commence une résistance active. Dès 1792, il y aura vingt-cinq mille prêtres émigrés.

Mais l'intégration du clergé constitutionnel qui a juré fidélité est indiscutable. « Ce sont ces F... curés qui ont fait la révolution ». Cette formule abrupte correspond à la réalité. Les élections démocratiques de l'ordre aux Etats Généraux ont vu le succès des curés progressistes contre les évêques dans de nombreux diocèses. Ces curés sont élus sur un programme de réformes recoupant les idées du tiers-état, dans le domaine social principalement. Au moment de la question du vote par ordre ou par tête, des défections dans le clergé entraînent son ralliement au tiers et la victoire de la Constituante. De nombreux prêtres ou réguliers, participent à la révolution. Le clergé rentre massivement dans les administrations révolutionnaires : juges de paix, maires, directeurs de département ou de district. On parle d'accord « messianique » entre ses membres et le gouvernement révolutionnaire. Les curés progressistes poursuivent la tentative d'éducation des masses rurales. Ils bénissent les arbres de la liberté et prononcent les serments dans les fédérations de 1790. Les Constituants respectent le clergé et les valeurs religieuses. La déclaration des Droits est placée sous les auspices de l'Etre Suprême comme la déclaration américaine. Les curés patriotes jouent un rôle actif dans la rédaction de la Constitution civile qui correspond à leurs désirs de démocratie interne : mieux vaut être élu par les fidèles que désigné par l'évêque ; mieux vaut toucher mille deux cents livres assurées que l'ancienne « portion congrue », sept cent cinquante livres par an. Des prêtres disent la messe avec l'écharpe tricolore, mêlent les sermons aux principes révolutionnaires, « renouant avec l'esprit premier de l'Evangile ». Pour trente mille curés et vicaires, le compromis avec le gouvernement constituant l'emporte. S'il perd ses privilèges, le clergé constitutionnel s'intègre à la nation dirigeante et conserve l'essentiel de son pouvoir sur les consciences, malgré la tendance à la laïcisation.

La bourgeoisie à « talents » triomphe cependant. Les capitalistes sont peu nombreux dans la première assemblée constituante : une centaine sur cinq cent soixante-dix-huit roturiers. La moitié des députés viennent des professions judiciaires, dont près de deux cents avocats. Les autres relèvent de la notoriété littéraire ou scientifique. Ces catégories, plus les gros propriétaires, s'implantent largement dans la gestion départementale et locale, aux côtés des anciens privilégiés. Elles sont les élites dirigeantes depuis que les critères d'aisance, d'éducation et de propriété définissent le citoyen actif et éligible, par opposition au peuple.

Cette bourgeoisie domine la politique et la culture. Pour lire les journaux, participer à la vie des clubs, voter, il faut être « indépendant », aisé. Le club des Jacobins le démontre. Club breton à l'origine (réunion des Etats Généraux) il devient Société des Amis de la Constitution en 1790 puis Club des Jacobins. Il accueille dans ses rangs des députés à la Constituante — deux cents à un moment sur mille deux cents adhérents — et des hommes renommés. La cotisation annuelle est de vingt-quatre livres. Les mille cinq cents clubs de province qui correspondent avec les Jacobins de Paris ont un recrutement plus modeste parfois, mais à prépondérance bourgeoise, jusqu'en juillet 1791.

« *Charles IX tuera la royauté* »

Un intense courant de rénovation intellectuelle et artistique se développe, dès 1789, au sein des élites. Les bouleversements idéologiques se reflètent dans les transformations de la création des artistes et des écrivains. Loin d'être un « désert culturel et artistique », la Révolution libère les créateurs : la liberté du théâtre date de janvier 1791. Elle leur fournit un modèle fécond d'inspiration ou de réprobation. Elle est l'époque de conflits acharnés entre l'académisme et la rénovation culturelle.

Deux exemples éclairent ces reclassements. En juillet 1789 éclatent deux « batailles » simultanées : le 19 juillet sort *Charles IX*, « tragédie vraiment politique et vraiment patriotique » d'un auteur de vingt-sept ans, Marie-Joseph Chénier, frère d'un poète réputé. Le 22 juillet 1789, une toile d'un peintre confirmé de quarante et un ans, Jacques-Louis David, provoque un immense retentissement au Salon : c'est *Les Licteurs apportant à Brutus les corps de ses fils*. Deux itinéraires exemplaires d'artistes engagés se nouent au même moment.

Charles IX pose à chaud le problème d'un roi qui autorise le massacre d'une partie de son peuple (la Saint-Barthélemy). Certains vers sentent « la poudre » dans le contexte parisien de juillet 1789 :
« Ces murs baignés sans cesse et de sangs et de pleurs,
Ces tombeaux des vivants, ces *bastilles* affreuses
S'écrouleront alors sous des mains généreuses. »
La coïncidence entre l'histoire au présent et l'œuvre d'art déchaîne les passions. Contre Chénier, la censure et la majorité des Comédiens français, habitués à un autre répertoire : la pièce est différée. Pour Chénier, la Commune, les districts, deux comédiens : Dugazon et Talma ; tout le parti patriote,

M.-J. Chénier.

Mirabeau, Danton... Le 4 novembre 1789, la première a lieu dans une atmosphère surchauffée. Les commentaires situent l'ambiance : « *Charles IX* tuera la royauté » (Danton) ; « Voilà une pièce qui avance plus la chute de la monarchie et de la prêtaille que les journées de juillet et d'octobre » (Desmoulins). Le clergé conservateur refuse l'absolution aux spectateurs ; la pièce est suspendue pour deux mois. Mais le théâtre politique est né. Pour Chénier, « la scène deviendra ce qu'elle devrait toujours être, une école de mœurs et de liberté ». Sa pièce est jouée à la demande des fédérés venus célébrer la grande fête du 14 juillet 1790. Quand les comédiens français refusent de jouer avec Talma, les spectateurs réclament celui-ci et envahissent la scène par centaines. Le maire de Paris intervient et *Charles IX* triomphe à nouveau, avec Talma, en septembre 1790. Dès janvier 1791 disparaissent tous les privilèges des anciens théâtres. Toute personne peut fonder un théâtre, y jouer les pièces, avec le consentement de l'auteur, de la municipalité, sous la protection de la garde. En deux ans apparaissent vingt théâtres nouveaux. La *guerre* des modernes et des traditionnels oppose les répertoires, les acteurs.

Le répertoire se renouvelle brutalement. Les fédérés demandaient : « Nous vous prions d'éloigner pour quelques temps vos anciens chefs-d'œuvre que nous connaissons déjà par la lecture... Vous devez d'ailleurs être persuadés que ce n'est pas en jouant Corneille, Racine et Voltaire que vous attirerez la foule et que vous soutiendrez la concurrence des pièces patriotiques ». En janvier 1790 paraît la première pièce sur la révolution contemporaine : le *Réveil d'Epiménide à Paris*. Le théâtre devient une arène politique, où le peuple peut manifester, lorsque les places sont bon marché. « Les comédiens haranguaient le parterre ; il s'établissait entre la salle et la scène un courant patriotique ; le parterre se mêlait aux acteurs et dansait autour d'un arbre de liberté ». Les bousculades à propos de tirades patriotiques sont fréquentes, lors du *Brutus* de Voltaire, par exemple :

« Mais je te verrai vaincre ou mourrai comme toi.
Vengeur du nom romain, libre encore et sans roi. »
Charles IX a lancé le mouvement. La plupart des acteurs et
actrices se rangent du côté de la révolution, avec un engagement renforcé par la création d'un statut social du comédien.
Chénier devient un poète officiel et multiplie les pièces, les
poèmes, les textes de chansons pour les fêtes républicaines.

Le théâtre, tribune politique

« La pièce a commencé et a été tranquillement jusqu'à la
fin du troisième acte où l'on vient apprendre que le déserteur
a sa grâce dans un air qui se termine par vive le roi. Là deux
cents voix ont crié, non. Tout à coup deux cents autres voix
ont crié vive le roi. Le tapage est devenu horrible, on s'est col-
lecté, battu, bousculé au parterre, on a injurié les loges ; un
gros et grand homme vêtu de gris, qui était sur le premier
rang de l'amphithéâtre, a jeté un bâton noueux et court, dans
une loge d'où l'on avait crié vive le roi. Enfin les séditieux
l'ont emporté : les femmes ont fui, les honnêtes gens ont
gardé le silence. La pièce a fini tristement et le parterre a
redemandé à ça ira… ; autrefois nous étions des fous aima-
bles ; à présent nous sommes des fous furieux. »

Le Journal des Spectacles, mars 1792

« Artiste et philosophe »

J.-L. David est déjà connu en 1789. Grand prix de Rome,
académicien, il a travaillé jusque-là pour les princes et l'élite.
Ses toiles des Salons de 1784, *Le serment des Horaces,* et de
1787, *Socrate recevant la cigüe* ont été accueillies comme les

Louis David,

né à Paris, en 1749.

« *L'inspirateur de l'art et des fêtes révolutionnaires.* »

manifestes d'une esthétique nouvelle : le néo-classicisme, balayant les raffinements du baroque. La Révolution n'a pas déclenché cette inspiration.

Mais la carrière de David prend un virage décisif après le salon de 1789. Le 22 juillet, les amateurs peuvent admirer *Les Licteurs apportant à Brutus les corps de ses fils*. Œuvre de circonstance ? Peut-être, mais elle colle avec la nouvelle sensibilité, l'exaltation des vertus héroïques et civiques des grands Romains. L'élite progressiste tient son porte-parole : on lui attribuera des dessins et des plans de fêtes parfois fantaisistes. David quitte son milieu et s'engage pour la démocratisation de la peinture. Il entre en septembre 1790 dans une « Commune des arts qui ont le dessin pour base » où figurent pratiquement tous les grands noms de la peinture française d'avant 1789 : Chardin, Lesueur, Vernet... Certains s'y plaignent de la « démocratie outrée » de David. Il veut en effet supprimer l'Académie de peinture et son monopole, pour ouvrir les Salons et les concours aux jeunes artistes.

Mais il entend être à la fois « artiste et philosophe ». Il expose au Salon de 1791 une gigantesque toile au sujet politique et civique : *Le Serment du Jeu de Paume*. C'est l'équivalent de *Charles IX* dans l'art pictural. Des centaines de reproductions graveront la scène dans la mémoire collective. David met son art au service de l'événement ; comme la plupart de ses confrères, il y puise l'essentiel de son inspiration. Il dessine les chars, les costumes pour la grande fête de Voltaire, le 11 juillet 1791, et défile, accompagné de ses élèves. Plus tard, député de la Convention, David sera l'inspirateur de l'art et des fêtes révolutionnaires. La musique, la sculpture et l'architecture connaissent les mêmes remises en cause.

On ne peut pourtant parler avant 1792 de « révolution culturelle », pour trois raisons :

— Les cadres anciens de l'art et de la culture restent en place et livrent une bataille acharnée contre les novateurs. Les académies restent debout, les théatres royalistes conservent leurs pièces, leurs acteurs « convenables » et leurs claques de « Beaux ».

— Les transformations de l'esthétique et de la sensibilité sont réelles mais elles présentent des caractères de « mode » à la fois foudroyante et fragile. Pour les élites c'est l'époque des bouquets « à la nation », des robes aux « trois couleurs », des « déshabillés à la démocrate », des chaises étrusques et des lits « à la révolution » : « ce sont des bonnets au bout de faisceaux qui forment les colonnes du lit, ils représentent l'arc de triomphe élevé au Champ de Mars le jour de la Confédération » (E. et J. Goncourt).

— Le peuple n'est pas directement concerné par ces muta- tions, en dehors des estampes et de quelques pièces. Sans la participation des couches populaires à la redéfinition d'un art nouveau, il n'est pas de révolution culturelle. L'exclusion du peuple de la culture, du savoir et de la politique limite la por- tée des transformations.

Vers une révolution démocratique

Une rupture politique profonde s'opère dans les élites après la fuite du roi de juin 1791. La majorité avec les Feuillants et La Fayette veut « terminer la révolution », la stabiliser autour du pivot monarchique. Une minorité démocrate est persuadée de la nécessité de renverser la royauté. La scission se produit après le massacre du Champ de Mars. Un an après la fête « heureuse » de la Fédération, le 17 juillet 1791, une pétition réclamant le renversement du trône est présentée au peuple par le club des Cordeliers. La Fayette applique la loi martiale contre ses pétitionnaires, arbore le drapeau rouge de la répression. La garde bourgeoise tire sur le peuple : on relève cinquante morts. Le club des Jacobins, avec les futurs Girondins et Montagnards, se sépare alors de la majorité feuillante et reçoit en trois mois le soutien de la plupart des clubs de province. L'aile démocrate de la bourgeoisie forme avec les organisations populaires un *parti* patriote, au sens large. Les Jacobins et les Cordeliers reconnaissent la nécessité de la participation politique du peuple et la validité des revendications populaires : droit à l'existence, etc. Le mouvement sans-culotte est né à l'été 1791. La rentrée progressive et spontanée des citoyens passifs sur la scène politique, trois ans après, va provoquer la chute de la royauté. Mais la bourgeoisie montagnarde est prête à accepter une participation modérée du peuple aux responsabilités politiques. La poussée simultanée des sans-culottes et des démocrates bourgeois crée les conditions d'une nouvelle révolution, égalitaire et « culturelle ».

La mode révolutionnaire.

CHRONOLOGIE POUR LE CHAPITRE III :

ANNÉE	DATES	POLITIQUE INTÉRIEURE
1789	27 avril	
	5 mai	Réunion des Etats généraux
	17 juin	L'Assemblée devient Nationale
	20 juin	Serment du Jeu de Paume
	9 juillet	L'Assemblée devient Constituante
	13 juillet	Armement du peuple
	14 juillet	Prise de la Bastille
	20 juillet	
	22 juillet	
	4 août	Abolition des privilèges
	11 août	
	26 août	
	12 septembre	
	5 et 6 octobre	Le roi ramené à Paris
	2 novembre	
	14 décembre	
1790	2 février	
	17 avril	
	mai	
	juin	
	16 juin	
	12 juillet	
	14 juillet	Fêtes de la Fédération
	31 août	Massacre des soldats à Nancy
	septembre	
	septembre	
	29 septembre	
1791	3 janvier	
	28 février	
	avril	Le roi empêché à Saint-Cloud
	mai	
	juin	
	11 juin	
	14 juin	
	20 juin	Fuite du roi
	17 juillet	Fusillade du Champ de Mars
	30 juillet	
	3 septembre	Vote de la Constitution
	septembre	
	29 novembre	
1792	23 janvier	
	février	
	3 mars	Meurtre de Simoneau
	24 avril	
	27 mai	
	20 juin	
	3 août	
	10 août	Chute de la Monarchie

ÉCONOMIE ET SOCIÉTÉ	CULTURE, MENTALITÉS
Emeute ouvrière : Réveillon	
	Ralliement du clergé au tiers
	Cocarde tricolore
Début de la Grande Peur	
	Brutus de David au Salon
Droits féodaux rachetables	
Déclaration des Droits de l'Homme	
	Début de *L'Ami du peuple*
Marche des femmes sur Versailles	
	Nationalisation des biens du clergé
Création des assignats	Succès de *Charles IX*
	Première société fraternelle des deux sexes
L'assignat devient papier-monnaie	Plantation d'arbres de la liberté
	Le bonnet rouge à Nancy
Suppression des titres de noblesse	Baptêmes civiques à Strasbourg
Fermeture des ateliers de secours	
	Constitution civile du Clergé
	Création de la Commune des arts
	Début du *Père Duchesne*
	Début de *La Feuille villageoise*
	Serment civique exigé des prêtres
Assaut au donjon de Vincennes	
Grève des charpentiers	
Grève des maréchaux-ferrants	
	Voltaire au Panthéon
Loi Le Chapelier	
Début des sans-culottes	
Suppression des ordres de chevalerie	
	Déclaration des Droits de la Femme
Décret contre les émigrés	Décret contre les réfractaires
Troubles et taxation à Paris	
Troubles agraires et taxation (Noyon)	
	Composition de *La Marseillaise*
	Déportation des réfractaires
Journée populaire	Le roi coiffe la cocarde
47 Sections votent la déchéance	
Journée populaire	Révolution démocratique

LES SIX
COMMANDEMENS
DE LA LIBERTÉ.

1. A ta Section tu te rendras,
   De cinq en cinq jours strictement.

2. Connoissance de tout prendras,
   Pour ne pêcher comme ignorant.

3. Lorsque ton vœu tu émettras,
   Que ce soit toujours franchement.

4. Tes intérêts discuteras,
   Ceux des autres pareillement.

5. Jamais tu ne cabaleras,
   Songe que la loi le défend.

6. Toujours tes gardes monteras,
   Par toi-même & exactement.

IV. Vers une société égalitaire : le mouvement des sans-culottes
(avril 1793-avril 1794)

« Il faut raccoucir les géants et rendre les petits plus grands. Tous à la bonne hauteur, voilà le vrai bonheur. »
(Chanson anonyme de 1793.)

La seconde révolution d'août 1792 permet la participation du peuple au pouvoir. Les responsabilités détenues par ses organisations entraînent une « courte période de pouvoir populaire » d'avril 1793 à avril 1794, pouvoir partagé avec la bourgeoisie montagnarde dirigeante. Le mouvement des sans-culottes imprime au début de l'an II (septembre 1793) sa marque au cours de la révolution. Il impose la question de l'égalité sociale. Ses porte-paroles développent un programme de réduction des « intervalles immenses de bonheur qui séparent l'homme de l'homme ». Ce programme est appliqué en partie par les Jacobins, au moment où le soutien populaire est indispensable au succès du salut public. La satisfaction des revendications matérielles immédiates, les mesures prises contre les riches, rendent un moment la société française plus égalitaire.

Ces mutations débordent la révolution bourgeoise et menacent à terme le pouvoir de l'élite dirigeante.

Nous ne chercherons pas à expliquer les facteurs qui ont permis au mouvement populaire de s'affirmer ; ni les péripéties politiques de sa participation au pouvoir. Il s'agit de comprendre la composition sociale de la sans-culotterie ; d'étudier comment a été réalisée la marche à l'égalité réclamée par une chanson de l'an II :

« Il faut raccourcir les géants et rendre les petits plus grands. »

« RACCOURCIR LES GÉANTS » : LA FIN DE PRIVILÉGIÉS

Pour les sans-culottes et les Montagnards, les « géants » sont d'abord des anciens ordres privilégiés : noblesse et clergé. La consolidation de la République exige l'élimination de tous les « aristocrates », la destruction de leurs titres, leur exclusion des affaires publiques. Une adresse de la section des Sans-culottes, lue le 5 septembre à la Convention lors d'une journée populaire, situe le conflit social :

« que les ci-devant nobles ne puissent exercer aucune fonction militaire, ni posséder aucun emploi public, de quelque nature qu'ils soient ; que les ci-devant parlementaires, financiers et les prêtres, soient destitués de toutes fonctions administratives ou judiciaires ». La suppression des anciennes élites dirigeantes va beaucoup plus loin que l'action punitive à l'égard des contre-révolutionnaires du moment. Elle engage un processus de nivellement social.

« Madame de Chateaubriand n'est plus qu'une pauvre femme »

La noblesse se décompose et perd progressivement tous les caractères qui la distinguaient du reste de la population.

Les preuves matérielles de l'existence du noble sont détruites. Les titres, les brevets des dépôts publics doivent brûler dès août 1792, avec les autres vestiges de la féodalité. Il reste la masse imposante des archives des familles, certificats, lettres de noblesse, dispenses, livres de raisons. La poussée égalitaire de l'été 1793 impose leur disparition, pour empêcher tout retour possible à l'ancien régime social. En septembre 1793, les nobles sont tenus de livrer aux autorités tous documents relatifs à leurs titres. Le 18 novembre, ils doivent le faire sous les huit jours sous peine de visites domiciliaires et de sanctions pénales. Des milliers d'actes nobiliaires brûlent dans les fêtes locales et départementales. Les signes extérieurs accompagnent les titres. La Législative avait interdit le port des décorations, médailles, croix, insignes des ordres de chevalerie. La Convention entend les faire disparaître définitivement. Tous les « hochets de la féodalité » doivent être livrés en juillet 1793, en août pour les croix de Saint-Louis. Une partie est brûlée, l'autre fondue pour les besoins de la nation.

Il ne reste plus que les marques extérieures et intérieures des demeures nobiliaires : les armoiries, blasons, écus, grilles, girouettes, colombages, pigeonniers, devises, enseignes. Certaines avaient été détruites lors des révoltes antiféodales. Elles disparaissent en l'an II. Une loi d'août 1793 porte sur la confiscation des maisons aux armoiries visibles. Des décrets de représentants en mission imposent à partir de novembre 1793 la démolition des châteaux-forts et des forteresses ayant conservé des signes distinctifs. Désormais, rien ne sépare plus le noble du roturier, que le costume ou les manières.

Ces témoignages même d'un mode de vie révolu exposent leurs acteurs à des poursuites, par un étrange phénomène d'inversion sociale. Il ne suffit plus d'avoir aboli les titres anciens et les formules de civilité dans la conversation, la littérature, les pièces de théâtre. L'ancien noble est devenu un « suspect » en puissance. Le préjugé de « race », ancien critère de supériorité, se retourne contre son détenteur. Le noble ne peut-être citoyen, mais seulement un « ci-devant ». Alors qu'il était seul apte à exercer les hautes fonctions, il peut désormais être exclu de tout emploi public. Les comités révolutionnaires, les sociétés populaires se ferment aux nobles même « repentis ». L'aristocrate doit dissimuler sa tenue et son langage pour obtenir un certificat de civisme. Au terme de l'évolution, Sieyès proposera de décréter que « les nobles sont inaptes à tout emploi civil ».

Par la force des choses, la législation révolutionnaire sanctionne les pertes de la noblesse.

Les biens des émigrés sont confisqués. Dans un premier temps, les familles étaient tenues de loger deux volontaires, prix de l'émigration du chef de famille. En mars 1793, la Convention saisit les domaines de tous les réfugiés à l'étranger, arrête ou disperse les familles restées sur place. Ces biens de seconde origine sont vendus aux enchères. En septembre 1793 et avril 1794, d'autres terres, fermes, métairies ayant appartenu aux nobles suspects, subissent le même sort. A ces pertes s'ajoute la disparition définitive des redevances paysannes, sans indemnisation, en juillet 1793. Vingt-cinq ans plus tard, la Restauration évaluera les dommages des anciens émigés à un milliard de francs.

Les nobles sont victimes d'un discrédit politique considérable en l'an II. Beaucoup figurent sur les listes de suspects (trois cent cinquante à quatre cent mille noms) et parmi les quatre-vingt-dix mille détenus ; la Terreur judiciaire de mars 1793 à juillet 1794, fera trois mille victimes nobles sur quarante mille au total. Sont-ils inquiétés, incarcérés ou exécutés parce qu'ils sont nobles, parce qu'ils sont contre-révolutionnaires, ou parce que la répression les a rendus contre-révolutionnaires ? Le débat reste entier.

Mais les notions de noble et de contre-révolutionnaires, distinctes au départ, tendent à se rejoindre. Les partisans du compromis de 1790 quittent successivement la scène politique : La Fayette en 1792 ; Dumouriez, ministre girondin, en mars 1793 ; Philippe d'Orléans, qui a voté la mort de son cousin, décapité en 1793 ; la marquis de Custine, général, accusé de trahison et exécuté en 1794. Les anciens nobles libéraux rejoignent les émigrés de la première heure dans la critique globale de la Révolution. Une pensée contre-révolutionnaire féconde se développe dans l'unité retrouvée. L'émigration est présentée comme une forme de « résistance » des élites légitimes face aux niveleurs, aux usurpateurs. L'ordre doit retrouver l'esprit de race ou de caste, les options monarchiques et religieuses qui ont permis sa prééminence. La condamnation de la Révolution comme mal absolu masque les divergences passées.

Une classe noble ?

« Les peuples peuvent être divisés par nations, être vraiment étrangers, mais la noblesse est une. Nulle nuance de climat, de langage, de mœurs ne peut la diviser. Elle existe partout par les mêmes privilèges et quand ses bases sont attaquées dans un pays, elles le sont également dans un autre. C'est une guerre déclarée à tous les éléments de la hiérarchie, des rangs, des privilèges et de la propriété. Tous les souverains, tous les nobles, tous les propriétaires ont le même intérêt de l'étouffer. »

Joseph de Maistre

Chateaubriand marque son désarroi devant l'écroulement prodigieux des valeurs dont sa famille est l'illustration. La nostalgie douloureuse qui perce dans ses *Mémoires d'Outre-Tombe* restitue « le raccourcissement des géants ».

1. Extrait du registre de Combourg

Le corps de haut et très puissant messire René de Chateaubriand, chevalier, comte de Combourg, seigneur de Gaugres, Le Plessis-l'Epine, Malestroit-en-Dol et autres lieux, époux de haute et puissante dame Appoline Jeanne Suzanne de Bédée de la Bouetardais, dame comtesse de Combourg, âgé de soixante-neuf ans environ, mort en son château de Combourg, en présence de Messieurs les gentilshommes et autres notables bourgeois soussignants...

2. Extrait du registre de Saint-Servan

Le 12 prairial an IV sont comparus Jean Baslé jardinier et Joseph Boulin, journalier, lesquels m'ont déclaré qu'Appoline Jeanne Suzanne de Bédée, veuve de René de Chateaubriand, est décédée au domicile de la citoyenne Guyon en cette commune... J'ai rédigé le présent acte que Jean Baslé a signé seul, Joseph Boulin ayant déclaré ne savoir le faire.

Dans le premier extrait l'ancienne société subsiste ; M. de Chateaubriand est un haut et puissant seigneur ; les témoins sont des gentilshommes et des notables bourgeois... Dans l'extrait mortuaire de ma mère, la terre roule sur d'autres pôles : nouveau monde, nouvelle ère ; le comput des années et même des mois sont changés. Madame de Chateaubriand n'est plus qu'une pauvre femme. Un jardinier qui ne sait pas signer atteste seul de la mort de ma mère ; de parents, point ; nulle pompe funèbre ; pour tout assistant la Révolution.

Les mémoires d'Outre-tombe, F.-R. de Chateaubriand

« *Qu'on se passât d'un tel individu et de ses semblables* »

La décomposition, puis la disparition du clergé sont plus brutales.

La révolution d'août 1792 provoque la suppression définitive de toutes les congrégations religieuses, d'hommes et de femmes. Cette mesure n'a pas entraîné de résistance notable dans l'opinion publique. Elle avait été préparée par une longue campagne de critiques violentes contre les monastères. Elle s'inscrit dans un courant de laïcisation de la société ; désormais les soins médicaux, l'assistance et l'enseignement ne dépendent plus du clergé régulier, mais du domaine public. A titre individuel certains religieux pourront continuer à soigner les malades, ou devenir curés, à condition de prêter le serment. En 1793, le clergé régulier a entièrement disparu, fondu dans la société française.

Il reste le clergé séculier, près de soixante mille évêques, curés et vicaires constitutionnels au début de 1793. Ceux-là concilient depuis deux ans l'exercice du culte catholique et le service de la révolution.

Ils s'opposent violemment aux réfractaires. Au début de 1791 les églises accueillaient à tour de rôle ceux qui avaient prêté serment et les autres. La concurrence entre les bons et les mauvais prêtres explique l'escalade des sanctions prises vis-à-vis de quarante mille réfractaires. La dénonciation par vingt citoyens puis par six, en septembre 1792, pour conduite incivique suffit pour l'arrestation, puis la déportation des insermentés.

Le clergé constitutionnel recherche pour sa part l'intégration dans la société révolutionnaire. Il s'affirme progressiste, ses membres attaquent « la sotte vénération qu'ont les villageois pour des reliques, des statues de saints à peine connus de nos légendistes » (Parent, curé de Boissise-la-Bertrand) ou « la stupidité des peuples qui vénèrent les dents en or, croient aux feux follets et aux démons » (Geruzez, curé de la Marne). Ils demandent la rénovation du culte, la messe en français, favorisent une fusion entre religion épurée et morale républicaine rendue délicate par la superstition des paroissiens : « ils veulents que je leur parle de neuvaines, de sacrements et de cent mille dieux ; ce n'est pas plus mon goût que le vôtre » (Parent). L'adaptation des curés constitutionnels à la marche de la révolution les éloigne progressivement de leur sacerdoce, les oblige à des remises en cause radicales. Ainsi le mariage divise les partisans de la tradition et les progressistes. Avant la déchristianisation de l'an II, des centaines de prêtres se sont mariés, des milliers ont approuvé ou célébré les cérémonies. La campagne cléricale pour le mariage des prêtres s'inscrit dans leur volonté d'égalisation, de réintégration sociale. Nullement interdit par les évangiles, le mariage est conforme à leurs yeux à l'esprit de la religion, de la nature et de la raison. « L'intention de l'Etre Suprême nous est suffisamment notifiée par cet instinct puissant qu'il a mis en nous et qui attire un sexe vers l'autre » (Lavau, curé de la région d'Etampes). Le mariage réconcilierait le prêtre et le citoyen, mais la situation des constitutionnels devient de plus en plus délicate. S'ils dénoncent les réfractaires : « c'est en abusant de l'Evangile que des prêtres ambitieux et cruels ont fait couler des flots de sang » (Parent), ils favorisent la poussée de l'anticléricalisme dans l'opinion publique.

Bientôt l'ensemble des prêtres est assimilé à la contre-révolution, après la chute des Girondins, en juin 1793. Dès juillet, Marat désigne aux patriotes les prêtres constitutionnels comme « vos plus mortels ennemis ». Ils ont beau être intégrés individuellement aux organisations révolutionnaires, aux sociétés populaires, ils sont victimes de l'hostilité à l'ensemble de l'ordre, qualifié de « horde », de « caste » ou de « race sacerdotale ». Soumis à une législation répressive, ils ne peuvent tenir des registres de baptêmes et mariages, s'opposer au mariage de leurs confrères sous peine de déportation. En octobre 1793, deux dénonciations suffisent à les rendre suspects d'incivisme. Une ségrégation sociale, idéologique, morale s'instaure. Prêtre devient synonyme de fanatique, fanatique de contre-révolutionnaire. Les curés sont exclus des comités révolutionnaires ou épurés, les notions de prêtre et de citoyen deviennent inconciliables. En novembre 1793, « Nul individu ne peut être républicain en même temps que prêtre : les deux états étant absolument incompatibles car quiconque est prêtre est l'ennemi juré de la révolution » (Tilly, curé de la Rochelle).

La rupture se produit lors de la « déprêtisation » lancée officiellement le 6 novembre 1793, par un décret de la Convention. A l'origine se trouvent les délégations de deux communes du district de Corbeil. L'une, Ris, renonce au culte et aux prêtres : « la société nombreuse a pensé qu'il serait plus utile pour le bien général qu'on se passât d'un tel individu et de ses semblables ». L'autre, Mennecy, informe la Convention de l'abdication volontaire de son « Marat », le curé Delaunay, dont le discours étonne : « Citoyens, mes désirs sont satisfaits, mon espérance comblée, le fanatisme expire, la race sacerdotale s'éteint »... La Convention autorise alors les communes qui le désirent à renoncer au culte et les prêtres à abdiquer. Elle lance sans le prévoir un mouvement qui aboutit cinq mois après à la disparition de l'ensemble du clergé.

Les abdications touchent plus de la moitié des soixante mille constitutionnels. Les déprêtisés apportent leurs lettres et brevets devant la municipalité ou la société populaire, renoncent en public et solennellement à l'exercice du culte. Quatre catégories inégales d'abdicataires se détachent :

— Les déprêtriseurs, représentants en mission ou responsables locaux, sont quelques dizaines. Dès leur abdication, ils obligent leurs collègues à renoncer, dans le Puy-de-Dôme, l'Allier, la Seine-et-Marne, le Cher : « il est remarquable que ce sont des prêtres qui combattent d'autres prêtres ».

— Les « curés rouges » sont environ deux mille cinq cents ; on a conservé quatre cents lettres d'explication de leur conduite au Comité d'Instruction Publique. Ceux-là abdiquent spontanément, avec soulagement et enthousiasme. Actifs et militants dans les organisations révolutionnaires, ils ne supportent plus l'hypocrisie de leur situation. Ils brûlent eux-mêmes leurs lettres, dénoncent avec violence tous les prêtres, se marient pour échapper à la « souillure ».

Un curé rouge abdicataire écrit à la Convention

« Dès l'instant où la loi permet aux prêtres de choisir une compagne, j'oubliai l'existence du pape et du concile, j'écoutai la voix de la nature et je fis l'échange d'un vieux bréviaire pour une jeune républicaine... Je ne vous remets pas mes lettres de prêtrise. Comme j'ai toujours regardé dans un état un prêtre aussi inutile qu'un joueur de quilles, j'ai fait servir dans les flammes ces cartouches ecclésiastiques... Je me sers en ce moment de mes bras, je travaille dans une manufacture où malgré les fatigues auxquelles on est sujet dans cet état, je me trouve très heureux si mes sueurs me mettaient à l'abri de l'indigence. J'aurai du plaisir à vivre libre au milieu des sans-culottes si, en les quittant à la fin de mon travail, je pouvais dire "Je suis tout en nage mais j'aurais de quoi nourrir ma femme et mes enfants". »

Duffay, 2 pluviose an II

— Les abdicataires opportunistes sont les plus nombreux. Ils suivent le mouvement, sans publicité ni satisfaction. Certains reprendront après plusieurs années.

— Les abdicacataires forcés par les administrateurs trop zélés ou obligés de remplir un formulaire type d'abdication représentent peut-être un quart de l'ensemble dans l'Ain, l'Allier, la Picardie, le Jura (Mont Terrible), les Bouches-du-Rhône...

Près de trente mille curés et vicaires n'ont pas abdiqué en l'an II. Mais ils n'exercent plus. Toutes les églises sont fermées ; le culte est interdit. Les uns sont emprisonnés ; les autres se taisent, se cachent ou s'exilent. Jusqu'en février 1795, le clergé disparaît de la vie et de la pratique sociale des Français. L'anticléricalisme radical entraîne la même inversion sociale que pour la noblesse. Le premier ordre du royaume est devenu le dernier de la République. On ne peut échapper à la prêtrise, même par le mariage, même par la destruction des titres. Les prêtres sont déclarés inapte à tout emploi civil en novembre 1793, y compris les « curés rouges » qui ont fidèlement servi la Révolution. Quelles que soient les résistances la disparition du clergé touche tout le pays, pendant près de deux années. Le raccourcissement des géants s'est réalisé conformément aux vœux des sans-culottes et à leur promotion sociale.

LE POUVOIR SANS-CULOTTE

Pour comprendre la révolution culturelle de l'an II il faut une connaissance précise du rôle politique et social de la sans-culotterie et du pouvoir populaire. L'étude fouillée d'A. Soboul pour Paris sert de support à l'étude d'un mouvement national qui touche aussi bien les campagnes que les villes, avec des décalages.

Le mouvement des « sans-culottes » naît à l'été 1791. Il atteint son apogée au début de l'an II, en septembre 1793, lors d'une manifestation qui entraîne la fixation du maximum national des prix des denrées de première nécessité. Nous pouvons le saisir dans ses caractères originaux.

Vers une société égalitaire

« La première propriété c'est l'existence »

Les sans-culottes se définissent comme une catégorie sociale qui groupe les travailleurs et les personnes de condition modeste. Qu'est-ce qu'un sans-culotte ? demande une brochure d'avril 1793 : « il sait labourer un champ, forger, scier, limer, couvrir un toit, faire des souliers ». Les Montagnards insistent sur le travail manuel : « Ce sont eux qui font les étoffes dont nous sommes revêtus ; ce sont eux qui travaillent les métaux et qui fabriquent les armes qui serviront à la défense de la République ». Par extension, les Enragés parlent de la « classe » des « pauvres », des exploités, en juillet 1793. Il faut être plus précis. Les sans-culottes agissants sont ceux qui fréquentent les organisations de leurs quartiers ou de leurs bourgades : comités civils, comités révolutionnaires, sections et sociétés populaires.

Composition sociale de la sans-culotterie parisienne

	Comités civils		Comités révolutionnaires		Militants Sociétés populaires	
	Nombre	%	Nombre	%	Nombre	%
Vivant de leurs biens	91	26,2 %	21	4,6 %	—	—
Chefs d'entreprise	8	2,3 %	13	2,8 %	4	0,7 %
Professions libérales	42	12,2 %	52	10,5 %	35	6,8 %
Employés			22	4,8 %	45	8,7 %
Artisans	120	34,9 %	206	45,3 %	214	41,6 %
Commerçants	81	23,6 %	84	18,5 %	81	15,7 %
Ouvriers salariés	2	0,8 %	22	4,8 %	64	12,4 %
Domestiques			23	5,1 %	40	7,7 %

d'après A. Soboul

Les tableaux parisiens expriment la diversité sociale de la sans-culotterie. Le groupe le plus important, deux tiers, est formé par le monde de la boutique et de l'échoppe : des artisans, propriétaires d'ateliers plus ou moins importants, menuisiers, cordonniers, ébénistes, éventaillistes, chapeliers... ; des commerçants, brassiers, limonadiers, bouchers. Dans les comités civils chargés de recenser les indigents et de répartir les secours, se trouvent quelques membres des professions libérales, des artistes et des « rentiers ». Les organisations de l'été 1793 sont de composition plus populaire. Les comités révolutionnaires ont dix pour cent de salariés, compagnons, ouvriers des manufactures, gagne-deniers ; les sociétés populaires (les plus actives en l'an II) vingt pour cent. Les artisans sont donc plus nombreux que les salariés. Les indigents, les femmes n'apparaissent pas. C'est le petit producteur indépendant qui donne le ton et définit l'idéal social du mouvement.

D'où des contradictions d'intérêt évidents. Les revendications salariales sont absentes des pétitions des organisations sans-culottes, en raison de l'influence des artisans. La garantie de travail pour les chômeurs également, puisque les sansculottes sont « actifs ». La majorité demande la taxation des prix que rejettent les petits commerçants. La petite propriété n'est pas remise en cause ; elle doit être au contraire garantie par le gouvernement. Entre les artisans instruits et les gagne-deniers analphabètes, entre le patron menuisier Duplay (qui loge Robespierre) à dix mille livres de revenus annuels et le maçon à trois cent cinquante livres, l'écart est grand.

Pourtant le milieu présente deux caractères homogènes. Il s'affirme face aux « honnêtes gens », ceux que l'aisance met à l'abri du besoin. La « classe » des riches est celle de l'« opulence et de la domination » (Jacques Roux, juillet 1793). Elle

Le bon sans Culotte

comprend « tous les riches, tous les gros marchands, les piliers de boutique, tous les gens de la chicane et tous ceux qui ont quelque chose » par opposition à ceux qui n'ont rien. Pour les sans-culottes les géants sont aussi les capitalistes, les « bourgeois » dont dépend directement la consommation populaire. Ce sont les « accapareurs » qui arrachent « à l'ouvrier le pain dont il a besoin pour se sustenter » (J. Roux) ; les « gros marchands » et les « agioteurs » qui spéculent sur les prix et « vendent au prix de l'or des choses les plus utiles à la vie », par extension les banquiers et les hommes d'affaire, exclus des organisations populaires de l'an II.

Les sans-culottes s'affirment solidaires par le mode de vie et la consommation. « Il loge tout simplement avec sa femme et ses enfants, s'il en a, au quatrième ou au cinquième étage » (qu'est-ce qu'un sans-culotte ?). Ils veulent se procurer à un prix abordable « les choses nécessaires, indispensables à la conservation de leur existence » (adresse de la section des Sans-culottes du 5 septembre). La satisfaction des besoins élémentaires est le facteur décisif de la mobilisation populaire. Les pétitions réclament « que toutes les denrées de première nécessité soient fixées invariablement sur le prix des années dites anciennes ». C'est par le « droit à l'existence » que les sans-culottes critiquent l'excès et l'abus de propriété. « La première propriété c'est l'existence : il faut manger à n'importe quel prix » (Hébert). Ceci entraîne la limitation des bénéfices des marchands : « Qu'est-ce qu'un marchand ? C'est le dépositaire et non comme on l'a cru sottement jusqu'ici le propriétaire des objets nécessaires à la vie... il est donc fonctionnaire public » (février 1794).

Socialement, les sans-culottes veulent limiter les grandes propriétés, les grosses fortunes, confisquer le superflu, « violation évidente et gratuite du droit des peuples », le répartir parmi les gens du peuple ; « faire disparaître la trop grande inégalité des fortunes et croître le nombre des propriétaires ». La lutte pour l'égalité passe par l'accès à la propriété des travailleurs : « le maximum des fortunes sera fixé ; le même individu ne pourra avoir qu'un maximum ; le même citoyen ne pourra avoir qu'un atelier, qu'une boutique ». Les paysans pauvres veulent le partage égalitaire des communaux récupérés, ou la jouissance commune et égale de leurs fruits. En tout état de cause, le sans-culotte n'est pas socialiste et se satisfait d'une « égalité approximative ».

« Le soir, il se présente à sa section »

Le second critère qui définit le sans-culotte est la pratique politique, inséparable de l'appartenance sociale.

Carte de section (an II).

125

La révolution culturelle de l'an II

Le sans-culotte est un citoyen informé qui participe à la vie politique de son quartier : « le soir, il se présente à sa section, non pas poudré, musqué, botté dans l'espoir d'être remarqué de toutes les citoyennes des tribunes, mais bien pour appuyer de toute sa force les bonnes motions et pulvériser celles qui viennent de la faction abominable des hommes d'état » (qu'est-ce qu'un sans-culotte ?). Jusqu'en septembre 1793, les sections des villes ou les campagnes sont ouvertes aux citoyens bénévoles, tous les jours, de dix-sept heures à vingt heures trente, vingt et une heure. A Paris, le local ayant servi pour les assemblées électorales primaires peut accueillir jusqu'à un millier de personnes. Pour délibérer et voter, il faut une carte de la section, ne pas avoir été épuré ou renvoyé pour incivisme.

Scrutin épuratoire d'une société populaire

1° Qu'étais-tu en 1789, 1791, 1792 ?
2° Qu'as-tu été en 1793 pendant la crise du fédéralisme ?
3° Quelle était ta fortune en 1789 et quelle est-elle en 1793 ?
4° Si elle a été accrue, par quel moyen ?
5° Quels ont été tes liaisons et tes discours ?
6° As-tu signé des adresses contre-révolutionnaires ?
7° As-tu appartenu à quelque chambre littéraire, à quelque club antipatriote ?
8° As-tu travaillé à de mauvais journaux ?
9° Enfin qu'as-tu fait pour la révolution ?

Rochefort, le 5 mars 1794

Les séances sont consacrées aux nouvelles du jour : lois, décrets et presse populaire, aux problèmes du ravitaillement, à la coordination avec les autres sections des villes. A Paris un comité central relie les quarante-huit sections. Pour le déroulement des séances, certaines sections doivent adopter un règlement, sur l'ordre du jour, la limitation du temps de parole, les sanctions pour interruption...

A partir de septembre 1793, les sections ne peuvent plus avoir que deux séances par semaine, puis par décade ; les pauvres présents sont indemnisés à raison de quarante sous par séance. La vie politique se transporte alors dans des sociétés populaires, au fonctionnement comparable à celui des sections mais de composition plus démocratique.

La fréquentation varie selon les urgences et les questions abordées. A Paris, les votes rassemblent de cinq à dix-huit pour cent des citoyens susceptibles de participer. Pour les séances quotidiennes, les effectifs vont de cinquante à neuf cents présents selon les sections. Pour un nombre d'adultes de deux mille cinq cents à cinq mille, une fréquentation de huit pour cent est courante. Ces chiffres se retrouvent en Provence pour les villes d'Aix ou de Marseille avec des pointes au moment du renversement de la monarchie et de l'été 1793. Dans les sociétés populaires, une affluence de cent citoyens par séance est normale. Cette mobilisation politique peut surprendre de nos jours.

Les citoyens pratiquent la démocratie directe, le vote à main levée ou assis-debout. La décision est exécutoire, les sans-culottes peuvent de la sorte exercer une pression politique sur la Convention en lui adressant des pétitions, en envoyant des délégations, des manifestations. La coordination rend les journées populaires efficaces, si le programme réunit l'ensemble des sociétés. Le mouvement est particulièrement actif dans certains départements : Creuse, Haute-Vienne, Nièvre, Allier, Rhône : « Le mouvement sectionnaire était bien plus dangereux dans les départements qu'à Paris ». (Cobb.)

Les pouvoirs autonomes du peuple en armes

On peut s'interroger sur l'étendue du pouvoir populaire. Au début de l'an II, le gouvernement n'est pas en mesure de contrôler la composition et les décisions des sociétés populaires qui deviennent « le centre des affaires publiques des sections », « s'arrogent en grande partie le droit de disposer des emplois ». Ces sociétés populaires prennent les initiatives décisives en matière de fiscalité contre les riches et lors de la déchristianisation. Elles fonctionnent alors comme des municipalités parallèles, tenant les registres, votant les décisions exécutoires. Comme les sociétés de province s'ouvrent davantage aux salariés et aux indigents qu'à Paris, l'autonomie préservée jusqu'à février 1794 environ, permet le « pouvoir populaire ».

Car le sans-culotte est un citoyen armé pour la défense de la République : « Au reste un sans-culotte a toujours son sabre avec le fil pour fendre les oreilles de tous les malveillants ; quelquefois il marche avec sa pique ». Depuis la supression des passifs, les sans-culottes sont entrés massivement dans la garde nationale. A Paris on compte ainsi près de cent mille hommes armés sur une population adulte de cent cinquante mille. L'assistance aux sections est toujours plus importante quand il s'agit d'élire les officiers de la garde. L'armement est la grande conquête du mouvement populaire. Il permet de donner à la pression sur les autorités une efficacité certaine puisque l'armée régulière est absente des villes. Le sans-culotte s'affirme « patriote » en liant totalement l'appartenance sociale et l'engagement révolutionnaire. Dans les seuls faubourgs Saint-Antoine et Saint-Marcel, vingt mille gardes pour cent mille habitants constituent une force redoutée, surtout les canonniers. La pique devient symbole du patriotisme du peuple en armes. « Ce n'est que la pique du sans-culotte qui nous a valu la liberté ». Un citoyen sera arrêté en l'an II pour avoir crié « à bas les piques », insulté les sans-culottes, ces porte-piques !

Les riches « aristocrates », sont *à priori* suspects de modérantisme politique. C'est le peuple qui fournit les « braves volontaires qui courent les hasards des combats » (J. Roux) alors que les accapareurs donnent « l'exemple terrible de la barbarie des hommes riches sur les pauvres et des contre-révolutionnaires sur les amis de la liberté ». Le sans-culotte assure l'essentiel de la défense nationale : « Mais au premier son du tambour on le voit partir pour la Vendée, pour l'armée des Alpes ou pour l'armée du Nord ». Il s'oppose ainsi aux jeunes hommes de bonne famille, aux muscadins qui refusent en mai 1793 de s'enrôler dans les armées, « ces foutriquets aux culottes serrées ». En avril 1793, on compte deux cent trente-trois engagés en quinze jours pour trois mille cinq cent quarante votants possibles dans la section des Piques. Le prix payé à la défense nationale est très lourd ; il affaiblit à terme le mouvement.

Dans les forces armées des sans-culottes « celle qui leur tenait le plus à cœur » est l'armée révolutionnaire, créée à la suite de la manifestation à la Convention, le 5 septembre 1793. Dès octobre, elle comprend six mille hommes et mille deux cents canonniers à Paris, trente mille dans le reste du pays. Il s'agit de volontaires directement désignés ainsi que leurs généraux par les sociétés populaires, parmi les sans-culottes les plus actifs. Les détachements de ces « civils armés » sont chargés de réquisitionner les denrées de première nécessité. Ils peuvent accomplir des visites domiciliaires chez les accapareurs et contrôler les prix sur les marchés. Cette armée particulière évoque les « armées populaires » ou les « gardes rouges » d'autres révolutions. Le gouvernement ne contrôle pas ces troupes « subordonnées aux sociétés populaires » dont les chefs sont d'authentiques sans-culottes, comme Rossignol, ancien apprenti puis compagnon orfèvre.

Elles forment l'amorce d'un pouvoir populaire armé, et exercent une action autonome, en liaison avec les sociétés locales, dans le domaine de la déchristianisation, souvent parallèle à la question des subsistances.

Le pouvoir populaire le plus contesté est celui des comités révolutionnaires ou comités de surveillance, créés en mars 1793 dans le cadre de la politique de salut public. Ces comités sont formés de militants sans-culottes, désignés par leurs sections et payés pour leur permanence, trois livres par jour au début, puis cinq livres en octobre. Ils comprennent six à douze membres à l'exclusion de « nobles, prêtres, banquiers, notaires et avoués ». Dès avril, ils reçoivent « tous les pouvoirs illimités et nécessaires pour qu'ils pourvoient avec efficacité au salut de la patrie et à la sûreté générale des citoyens ». Fonctionnant de 10 h à 14 h et de 17 h à 20 h tous les jours, les comités jouent rapidement un rôle de police parallèle : ils délivrent les certificats de civisme et les laissez-passer, reçoivent les dénonciations, dressent les listes de « suspects », procèdent à des perquisitions, des arrestations.

Les sans-culottes forment un moment la base sociale du gouvernement montagnard tout en faisant pression sur lui pour la satisfaction de revendications spécifiques. Ils identi-

fient la condition sociale, la pratique politique et la morale,
« comme si le patriotisme ne résidait que dans la profession et
dans l'habit ; ils avaient si bien établi le privilège de la caste
qu'ils nommaient la sans-culotterie, que hors d'elle ils soute-
naient qu'il ne pouvait y avoir de civisme ». Ils peuvent un
moment appliquer leur programme égalitaire : assurer le droit
aux subsistances du peuple ; réduire les inégalités de fortunes
et de revenus ; faire passer dans la législation et les mœurs
leurs conceptions politiques, morales et familiales.

« L'égalité n'est qu'un vain fantôme... »

Il faut avant tout assurer le droit à l'existence. Le programme sur les subsistances a été défini à partir du printemps
1792 par des prêtres « socialisants » et par les Enragés, longtemps méconnus. Les Enragés sont des intellectuels qui partagent l'existence populaire, connaissent les « garnis », les files
d'attente des gens du peuple. Intégrés au mouvement sectionnaire, ils traduisent en certains moments les aspirations
des masses, comme Jacques Roux aux Gravilliers. Proches des
mouvements féminins, ils obtiennent la confiance épisodique
des sans-culottes. Leur programme sur les subsistances est
exposé le 25 juin à la Convention : « La liberté n'est qu'un
vain fantôme quand une classe d'hommes peut affamer
l'autre impunément. L'égalité n'est qu'un vain fantôme
quand le riche par le monopole exerce un droit de vie et de
mort sur ses semblables » (J. Roux). Ils demandent une économie dirigée, « des lois bienfaisantes qui tendent à approcher
le prix des denrées de l'industrie du pauvre ».

C'est chose faite à dater du 29 septembre 1793. Les denrées
de première nécessité sont taxées au prix de 1790 (plus un

Les idées des Enragés

« Lorsque le peuple courbé sous le poids de ses chaînes se livre aux mouvements d'une sainte insurrection, accapareurs, vous calomniez son courage et sa vertu, vous criez au pillage, au meurtre et à la désorganisation. Agioteurs, c'est vous qui êtes des voleurs, des anarchistes et des assassins puisque vous arrachez à l'ouvrier le pain dont il a besoin pour se sustenter, puisque vous levez par le monopole un impôt sur les sueurs et le sang du peuple ; puisque vous portez de toute part la disette, le désespoir et la mort.

Accapareurs, gros marchands, propriétaires, oserez-vous affirmer maintenant que vous aimez la patrie ? Ah ! s'il est vrai que vous la servez c'est pour donner l'exemple terrible de la barbarie des hommes riches sur les pauvres et des contre-révolutionnaires sur les amis de la liberté. »

Le Publiciste de Jacques Roux, 28 juillet 1793

tiers au maximum) sur toute l'étendue du territoire, contrairement aux principes du libéralisme bourgeois. Les denrées ne sont plus chères, les salaires peuvent progresser davantage. Les gros cultivateurs et les marchands sont tenus de déclarer les quantités disponibles. Les autorités et l'armée révolutionnaire peuvent effectuer des vérifications, des visites domiciliaires. Les accapareurs qui auront gâté, perdu ou enfoui « méchamment et à dessein » les grains seront condamnés à mort. Le ravitaillement est assuré en partie par la contrainte et la réquisition populaire.

La lutte contre la vie chère dépend également de l'inflation. Les Enragés ne sont sensibles qu'aux conséquences de la multiplication du papier-monnaie. Ils accusent les « agio-

MUNICIPALITÉ DE PARIS.

SUBSISTANCES ET APPROVISIONNEMENS
de la Commune de Paris.

PORC SALÉ.

Du 16 Ventofe, l'an 2me de la République Françaife.

LA Commiffion des Subfiftances de la République, ayant cédé à la Commune de Paris, environ *quatre-cents-cinquante barils de Porc falé & en faumure*, les Adminiftrateurs des Subfiftances de la Commune, préviennent leurs concitoyens, que cette falaifon fera diftribuée & payée comme il fuit.

1° Le citoyen PUECH, de la fection du Bon-Confeil, n° , rue de la grande Truanderie, fera chargé de délivrer les barils au comptant & à *dix-neuf fols la livre*.

2° Chaque Comité Civil de fection, enverra prendre, tous les dix jours, à partir du dix-huit courant, chez le citoyen PUECH, de la viande falée dans la proportion ci-après calculée fur leur population.

	Barils		Barils		Barils		Baril
...mis de la Patrie,	4	Faubourg-du-Nord,	3	Lepelletier,	3	Piques,	3
...rcis,	3	Faubourg-Montmartre,	3	Lombards,	3	Poiffonnière,	2
...rfenal,	2	Finiftère,	3	Maifon-Commune,	3	Popincourt,	3
...on-Confeil,	3	Fraternité,	2	Marat,	3	Quinze-Vingts,	4
...ondi,	3	Gardes-Françaifes,	3	Marchés,	3	République-Françaife,	3
...onne-Nouvelle,	4	Gravilliers,	3	Montagne,	4	Régénérée,	3
...onnet Rouge,	4	Guillaume-Tell,	2	Mont-Blanc,	3	Révolutionnaire,	3
...rutus,	3	Halle-aux-Bleds,	2	Montreuil,	3	Réunion,	3
...hamps-Élyfées,	2	Homme-Armé,	3	Muféum,	3	Sans Culottes,	4
...ité,	3	Indivifibilité,	3	Mutius Scœvola,	3	Temple,	3
...ontrat-Social,	3	Invalides,	3	Obfervatoire,	4	Tuileries,	3
...roits-de-l'Homme,	3	Fontaine-de-Grenelle,	3	Panthéon-Français,	3	Unité,	4

3° Chaque Comité Civil nommera un Charcuitier, qui fera chargé de débiter au public par *demi-livre*, & au prix de *dix fols* la demi-livre, le Porc falé qu'il aura été prendre chez le citoyen PUECH, fur un bon du Comité Civil de la fection.

4° Le débit au public fe fera dans chaque fection, le matin, & en préfence d'un Commiffaire de la fection.

Les Administrateurs des Subfistances de la Commune, Signé, CHAMPEAUX, DUMEZ & LOUVET.

Un ravitaillement « tout à fait satisfaisant ».

teurs » qui spéculent sur le double cours des marchandises en
or ou en assignats. Ils demandent la Terreur contre les spéculateurs. En juin 1793, la Bourse est fermée. A partir de
novembre, la Convention décide de punir de mort tous ceux
qui spéculent sur le double cours des marchandises. Elle
oblige à payer en assignats. Un décret de décembre contraint
à déclarer les objets en or au trésor public : il s'agit de démo-
nétiser l'or, lui ôter toute valeur. L'inflation cesse alors et une
remontée spectaculaire du cours de l'assignat est constatée, de
vingt-huit en septembre, à cinquante et un en janvier. Cette
politique contraire aux règles du capitalisme libéral confirme
les analyses des Enragés : le ravitaillement devient « tout à fait
satisfaisant » en décembre ; le peuple est « heureux », il peut

Carte d'assistance et de secours (an II).

passer du droit à l'existence à « l'égalité des jouissances ». Pour la première fois, sa sécurité matérielle est assurée.

La réduction des inégalités des fortunes et des revenus n'est qu'esquissée dans ses principes. Les sans-culottes veulent taxer les riches sous la forme des collectes volontaires. Des sections marquent les règles de la fiscalité populaire. En dessous de mille livres de revenu annuel, les individus ne sont pas taxés. Au-dessus de dix mille livres, ils le seront au cinquième de la fortune. Entre, des paliers d'imposition sont aménagés. Aux Gravilliers, les riches paient dix pour cent, les instituteurs cinq pour cent, les pauvres ne paient rien. Des comités révolutionnaires appliquent ces taxes proportionnelles aux revenus.

Dans les campagnes, les sans-culottes ou les paysans pauvres réclament des conditions d'achat des biens nationaux plus égalitaires. Ils obtiennent la vente par petits lots ou par enchères groupées à partir de juin 1793. Mais les projets de redistribution des terres ne seront pas étudiés, de même que les décrets de ventose qui devaient transférer aux indigents patriotes les biens des « supects ». Le projet égalitaire reste limité aux denrées les plus nécessaires.

« *Rendre les petits plus grands* »

Dans les relations sociales, « l'élévation des petits » est plus spectaculaire. Le rôle politique des sans-culottes leur permet d'imposer un moment leur mode d'existence, leur costume, leur langage. Cette mutation prélude à la « révolution culturelle » de l'an II. Elle apparaît dans les symboles ou signes extérieurs.

La révolution culturelle de l'an II

Pantalons, carmagnoles, bonnets rouges

Le terme de sans-culotte est révélateur de l'importance du costume dans les relations sociales. L'an II voit la multiplication de portraits d'un genre nouveau : le « sans-culotte », celui qui n'a pas de culotte serrée comme l'aristocrate ou le bourgeois. L'acteur Chinard de Lyon pose en « sans-culotte » avec sa pipe et son drapeau. Des jeux révolutionnaires les mettent en scène avec un costume aux significations politiques et sociales précises.

Les hommes de l'an II portent des pantalons amples et parfois rayés : ces « braies », de toile grossière, les distinguent des « culottes dorées ». Quatre ans auparavant le pantalon restait exceptionnel. Des artisans militants habitués à la culotte substituent le pantalon à l'« habit de leur état ». Le sans-culotte possède, en général, une veste courte et large : la « carmagnole », rappelant la chute de la royauté le 10 août. Il met des souliers grossiers ou des sabots, biens utilitaires produits par les artisans, de préférence. Insensiblement, une mode sans-culotte gagne les milieux aisés, contre l'avis des militants qui veulent se réserver ce costume distinctif. Ceux de la section des Sans-culottes décident le 4 mai que leur président ira désormais devant la Convention « en pantalon ». Mais le Père Duchesne fulmine contre ceux qui s'achètent à peu de frais une virginité politique : « Avoir un large pantalon, une petite veste, une perruque noire, un bonnet rouge pour cacher la blonde chevelure, des moustaches postiches, une pipe à la gueule à la place du cure-dent, un gros gourdin en guise de badine ». Des Jacobins seront touchés par la contagion des vêtements patriotiques ; Robespierre et Hébert par contre conservent une mise impeccable et résistent au pantalon et au bonnet rouge.

COMMUNE DE PARIS.

LES ADMINISTRATEURS
AU DÉPARTEMENT DE POLICE
A LEURS CONCITOYENNES.

L'octodi de la première décade de Brumaire.

CITOYENNES,

Il est beau de porter le *Bonnet rouge*, c'est le signe de la Liberté;
Mais exiger, mais contraindre les Citoyennes à le porter est une démarche inconsidérée qui serviroit les projets liberticides de nos ennemis.

On vous a donc trompé hier bien méchamment quand on vous a dit qu'on vous forceroit à porter le petit jupon, le caleçon et le *Bonnet rouge*.

Ce sont les amis de la Royauté et du Fédéralisme qui débitent de pareilles nouvelles, afin de vous agiter, parce qu'en vous agitant, ils savent que vous servez leurs intentions criminelles et contre-révolutionnaires.

Citoyennes, jamais on n'eut l'intention de vous priver d'un costume qui vous plaît, puisque vous le portez et qui d'ailleurs ne présente rien de contraire aux mœurs Républicaines.

Du calme, de la tranquillité et nous déjouerons encore une fois nos ennemis.

Signé, FIGUET, MENNESSIER, CAILLEUX, BAUDRAIS, HEUSSÉE, MARINO, MICHEL, FROIDURE, GODARD, SOULES et MASSE, *Administrateurs au Département de Police.*

De l'Imprimerie de C.-F. PATRIS, Imprimeur de la Commune, rue du Faubourg St-Jacques, au ci-devant Dames Sainte-Marie.

Le bonnet rouge est la coiffure des sans-culottes dès le début du mouvement. « Le bonnet de laine était en Grèce et à Rome l'emblème de toutes les servitudes ». Les paysans bretons insurgés en 1675 furent surnommés les Bonnets Rouges, d'après leurs coiffes traditionnelles. En 1790, il était porté par les soldats révoltés de Nancy. Une fête de juin 1792, en leur honneur, le popularise. L'essor du bonnet suit le mouvement démocratique. Dès mars 1792, le club des Jacobins est saisi d'un projet d'adoption pour tous ses membres. Pétion et Robespierre le repoussent comme incompatible avec le port du seul emblème vraiment national, la cocarde tricolore. La journée populaire du 20 juin 1792 relance le bonnet rouge, coiffé par le roi.

Les organisations populaires luttent pour sa propagation. En décembre 1792, les sections le rendent obligatoire. Un citoyen de la section du Pont-Neuf est exclu en avril 1793 pour voir parlé tête nue dans le local et avili « ce signe de la liberté des peuples ». En novembre 1793, c'est l'apogée. Le 6, la Commune décide que tous ses membres, dont des bourgeois, devront l'arborer, comme marque de patriotisme. Les Citoyennes Révolutionnaires réclament la même mesure pour leur sexe. Le 7, le Convention étudie un projet de généralisation. La liberté du costume est sauvée de justesse par les députés. La puissance du bonnet rouge est à son comble. Des chansons de l'an II insistent sur sa signification égalitaire et libertaire.

Enfin de Paris au Japon
De l'Africain jusqu'au Lapon
L'égalité se fonde
Tyrans le sort en est jeté
Le bonnet de la Liberté
Fera le tour du monde *(Les voyages du bonnet rouge.)*

Les femmes du peuple imposent également leur costume patriotique. Les portraits les représentent les cheveux libres surmontés d'une coiffe rayée, la cocarde en évidence. Un robe simple, découvrant le cou et la gorge, descend pratiquement jusqu'aux sabots. Un tablier laisse apparaître les raies verticales semblables aux « braies ». Elles portent le sabre ou la pique. Pour la diffusion de ce costume, une véritable guerre des cocardes se déclenche. Le 3 avril 1793, la Convention a rendu le port de la cocarde obligatoire pour tous les Français, sans précision de sexe, sous peine de mise en état d'arrestation. Des démêlés opposent les femmes patriotes qui l'adoptent et les autres qui les insultent, les traitent de « putains ». En août et septembre la société fraternelle de la section de l'Unité décide de n'accepter dans les tribunes que des citoyennes avec la cocarde et obtient l'adhésion de vingt-neuf sections sur quarante-huit. Comme les rixes se multiplient, la Convention proclame le 21 septembre 1793 que « les femmes qui ne porteront pas la cocarde tricolore seront punies, la première fois de huit jours de prison ; en cas de récidive, elles seront réputées suspectes ; et quant à celles qui arracheraient à une autre ou profaneraient la cocarde, elles seront punies de six années de réclusion ».

Les militantes décident alors de porter des vêtements d'hommes, les pantalons, comme signe de leur émancipation politique. Elles défilent à la Convention dans cette tenue, au grand scandale des députés. Elles tentent d'imposer le bonnet rouge aux femmes, comme la cocarde. L'égalisation des costumes des sexes créerait un précédent, un nouveau rapport de forces. Le Conventionnel Fabre d'Eglantine en prend ombrage le 29 octobre 1793 : « Après qu'on a voulu exciter des troubles dans Paris par le moyen de la cocarde nationale... on tente aujourd'hui de les renouveler et on prend pour prétexte le bonnet rouge. Prenez bien garde qu'après avoir obtenu un décret sur ce dernier objet, on ne s'en tiendra pas là ; on viendra vous demander la ceinture, puis les deux pistolets à la ceinture... Vous verriez des files de femmes aller au pain comme on va à la tranchée »...

« *Salut et fraternité, ton égal en droit* »

Evidente dans le costume, l'influence de la sans-culotterie se traduit par le langage, qui exprime des relations sociales nouvelles.

Entre la langue noble et la langue populaire le fossé était considérable. Les élites révolutionnaires, dont les Montagnards, ont appris dans les collèges l'art de la rhétorique, le respect de la grammaire, de la pureté de la langue. Certaines séances sur la propriété, droit « naturel » ou « social » planent à un haut niveau d'abstraction. Mais le décalage entre les deux langages présente un risque d'incompréhension souligné par l'Abbé Grégoire, qui voit la nécessité de populariser la langue : il faut détruire cette aristocratie du langage.

La distance tend à se réduire par l'éducation politique des masses. Tous les Français apprennent les droits et les principes nouveaux, avec leur signification civique. Mais le langage populaire impose ses expressions et ses tournures. Les journaux destinés au peuple, adoptent ses manières et ses formulations. Babeuf explique l'utilisation de néologismes — « antirévolutionnade », « peuple doré », « humanicide », « barthélémiser » — par le souci d'un langage accessible au peuple : « Mes expressions ont une impropriété choquante, comme si j'avais jamais prétendu au purisme, au langage académique, qu'importe si je pouvais sauver le peuple que

Les Brigans sont foutus!

LA LIBERTÉ OU LA MORT.

NOUVELLES
DES ARMÉES RÉUNIES.

s *brigands* sont *foutus* ; Bagages , Munitions, Caissons, Canons,
uipages, *tout ce qui leur restoit*, en un mot, est en notre pouvoir.
us les avons attaqués le 2 Nivose soir sous les murs de Savenay. Le
mbat fut sanglant. Nous repoussâmes l'ennemi dans Savenay. La nuit
esser le combat. Chacun , à son poste, attendoit le jour avec impatience.
peine a-t-il paru, qu'après quelques coups de canon et de fusils , nos
dats ont enfoncé les rangs ennemis, la bayonnette dans les reins. Tout
édé à leur courage , à leur intrépidité. Les canoniers ennemis ont été
rgés sur leurs pieces; les brigands hachés, massacrés, ont jonché de leurs
avres les rues de Savenay. Poursuivis dans les plaines , les marais , les
s, ils ont laissé des monceaux de morts. L'armée *catholique* n'est plus. Elle
réduite à quelques hordes vagabondes que les paysans , les tirailleurs fu-
ent de tous côtés.

Trois cents hommes de la cavalerie brigantine , poursuivis par Wester-
nn, se sont noyés dans la Loire; pas un cavalier, pas un cheval n'est échapé.
Plus de six mille brigands ont expiré sous les coups de nos braves répu-
cains.

AUTRE SUCCÈS. Sur la rive gauche de la Loire , *Charette* a été
ttu aux *Herbiers*. Nous lui avons tué 3 ou 400 brigands. Il s'est enfui
désordre dans les bois avec environ neuf cents brigands.

Nantes a été illuminé hier, en réjouissance de ces bonnes nouvelles.

VIVE LA RÉPUBLIQUE!... *Mort aux brigands.* Qu'ils expient par
t le crime d'avoir porté les armes contre leur Patrie ! L'intérieur de la
ndée appelle encore quelque temps le courage de nos troupes.

Angers. De l'Imprimerie nationale, chez MAME , Imprimeur du Département de Maine et Loire j'eusse paru blesser la syntaxe et que je lui eusse fait entendre la vérité en patois du faubourg Saint-Marceau. »

L'étude de l'influence de la langue populaire sur le français classique a été tentée par F. Brunot. L'utilisation des jurons ou termes argotiques est la plus connue, pas la plus significative. Les caricatures décrivent complaisamment « la pelle au c... » ; le Père Duchesne multiplie les « foutre ». Mais l'injure est l'expression la mieux répartie dans les milieux de l'époque. De même l'outrance verbale pour désigner les adversaires sociaux ou politiques. Certains termes employés indiquent clairement des griefs concrets du peuple. « Assassins ! Agioteurs ! Accapareurs ! Cannibales ! Vautours ! Sangsues du

Carte de comité révolutionnaire.

142

« Ici on se tutoye. »

peuple ! Aristos ! Calotins ! Prêtaille ! Anthropophages ! » Ils
sont familiers aux Enragés, aux sans-culottes. Mais leurs
adversaires en ont autant à leur service. Plus significative est la
multiplication de métaphores, inconvenantes pour l'élite
polie, mais adaptées à la sensibilité populaire. « L'instinct

profond des masses se plaît à rechercher ces images qui traduisent mieux la pensée et le sentiment ».

Brunot cite des exemples de formules courantes : « le bonnet de la liberté couvrira la tête de l'univers » ; « l'éponge des siècles », « la tempête tonne sur les têtes coupables et les écrase », « la faux de l'égalité » ; la « veuve » (: guillotine) « le creuset de l'égalité... On trouve dans le *Père Duchesne* les expressions familières goûtées par le public.

La généralisation du tutoiement en l'an II montre combien le langage peut contribuer à l'égalité sociale. L'aristocrate utilisait le « vous », les formules hiérarchisées de la politesse. La bourgeoisie révolutionnaire hésitait entre le « vous » de convenance et le « tu ». Les sans-culottes utilisent constamment le tutoiement. Leurs relations sont égalitaires, si les milieux ne le sont pas toujours. Le maître et le compagnon se tutoient, se serrent la main ou se donnent des bourrades en guise de salut. Le mouvement impose progressivement le « tu », au contenu civique nouveau. Le tutoiement rapproche les citoyens et réduit la distance entre les individus. Il est le reflet de la fraternité des patriotes. Le vous devient rapidement synonyme d'aristocratie. « Si vous convient à Monsieur, toi convient à citoyen ». Dès décembre 1792, la section des sans-culottes explique : « le mot vous était contre le droit à l'égalité ; le mot toi est le seul nominatif dont les hommes libres doivent se servir ». A l'automne 1793, le tutoiement se généralise dans toutes les sections populaires car il entraîne « plus de penchant à la fraternité, conséquemment plus d'égalité ». Dans les correspondances des sociétés populaires les sans-culottes signent « salut et fraternité, ton égal en droit ». Ils demandent la généralisation du tu à la Convention le 31 octobre. Robespierre défend la liberté du langage, au nom de la « convenance ». L'obligation est rejetée mais le « tu » continue à triompher dans les chansons et les pièces de théâtre. Il tend à l'égalité au même titre que la suppression des décorations, distinctions et prérogatives dans les armées, par exemple.

L'égalité pour les enfants naturels

Au moment où ils imposent leur façon de vivre et de penser, les sans-culottes demandent la reconnaissance des droits des catégories jusque-là exclues par la législation, marginalisées : mères célibataires, enfants trouvés, enfants naturels. L'Eglise les rejetait du corps social. Les filles-mères ne pouvaient recevoir les aides financières accordées aux mères indigentes. Les enfants trouvés étaient entassés dans des hospices que l'on pouvait qualifier de « mouroirs » : quatre-vingt-dix pour cent de décès en bas âge. Les enfants naturels n'avaient aucun droit à l'héritage, même en cas de reconnaissance par le père. La pension alimentaire perçue dans le meilleur des cas était dérisoire.

Les sans-culottes ne sont pourtant pas favorables à l'affranchissement des règles familiales traditionnelles. Ils s'affirment volontiers « vertueux ». Leur portrait typique, est celui d'un travailleur à l'existence frugale, préservé des excès de toute nature, de la passion des jeux, de la débauche. Bon époux, bon père dans un foyer uni, il est volontiers moralisateur et demande la fermeture des maisons de passe, l'interdiction des œuvres licencieuses. L'action en faveur des marginaux s'explique donc par le souci de solidarité et d'égalité dans les rapports sociaux. Solidarité, car les situations irrégulières sont fréquentes dans les quartiers et immeubles populaires. Egalité correspondant au « droit à l'existence » pour tous. L'intervention de l'Etat doit substituer une assistance légale et unifiée à l'ancienne charité, sélective et dispersée.

Les sociétés populaires demandent l'égalité des secours financiers entre les mères légitimes et célibataires pour les familles des défenseurs de la patrie. La société de Beauconseil défend à la Convention les droits des femmes seules ou en union libre : « la Convention n'a rien dit sur les êtres intéressants qu'un préjugé barbare avait jusque-là fait considérer comme illégitimes. Elle s'est également tue sur les citoyennes qu'un sentiment de tendresse avait rendues fécondes avant d'avoir empli le vœu de la loi, c'est-à-dire en omettant les formalités ». Jusqu'à la réaction thermidorienne les secours sont versés sans distinction par la plupart des sections, sans texte de loi sur la question.

Les mêmes organisations mènent une campagne pour la connaissance de droits égaux des enfants naturels. Les philosophes et les avocats s'arrêtaient à la sécurité matérielle. Le 2 novembre 1793, les enfants naturels reconnus officiellement disposent des mêmes droits à l'héritage que les enfants légitimes. L'égalité inscrite sur les frontons des édifices publics et dans la Constitution de juin 1793 est en passe d'être appliquée dans la législation sociale.

L'assistance publique s'étend aux enfants trouvés, un tiers des naissances parisiennes. Le décret du 4 juillet 1793 déclare qu'ils sont « enfants naturels de la patrie », assurés d'une protection matérielle, scolaire, d'un emploi.

« Nous sommes bien grandies depuis la révolution »

Dans le cadre du mouvement populaire s'affirme à partir d'avril 1793 un mouvement féminin à part entière, jusque-là limité aux subsistances, au féminisme des milieux privilégiés.

Les militants sans-culottes ne sont pas favorables à la concurrence matérielle et politique des femmes. Ils partagent des préjugés de l'époque. Mais ils s'éloignent de l'antiféminisme théorique des Montagnards, inspirés de Rousseau. Des femmes demandent dans les organisations une participation correspondant à la place qu'elles occupent dans les mouvements populaires. Elles obtiennent pour la première fois le droit à la parole et au vote.

Ce grandissement politique est limité. La Convention leur refuse le droit de vote dans les « assemblées primaires ». Face aux sept millions de votants masculins, les femmes restent mineures. Un député avait bien assimilé le sexisme au racisme et demandé le vote pour toutes, mais n'avait pas été écouté, en mai 1793.

Le droit est pris dans les organisations de la sans-culotterie. Difficilement. Les sections parisiennes n'admettent au départ les femmes que dans les tribunes. Elles peuvent y faire leur

« Les lettres bougrement patriotiques de la mère Duchesne »

Tu en as sujet, foutre... Quand nous voulions parler autrefois, on nous fermait la bouche en nous disant fort poliment : vous raisonnez comme une femme : c'était à peu près comme une foutue bête. Ah ! bougre ! tout est bien changé maintenant : nous sommes bien grandies depuis la révolution... Jours de Dieu ! Comme la liberté nous a donné des ailes ! Nous avons aujourd'hui le vol de l'aigle... Quoique je sois ignorante et non lettrée, je ne manque cependant pas de tête en matière politique.

(Cité par D. Godineau)

apprentissage politique et des « motions de l'intérieur de leur maison » (La Mère Duchesne, 5ᵉ lettre), mais ne peuvent délibérer ou voter. La situation se modifie lors de la poussée de l'été 1793. Des sections acceptent la présence de femmes avec des limites ; au Luxembourg, elles sont admises dans la proportion du cinquième des délibérants de l'assemblée générale et des commissions, mais ne participent pas au bureau. D'autres vont plus loin : la section des Hommes libres admet le 19 septembre 1793 les femmes à la gauche du président avec le droit de vote.

Les femmes renforcent leurs positions dans les sociétés fraternelles des deux sexes. Au départ, elles ne pouvaient détenir ni responsabilités, ni majorité. En septembre 1793, des barrières disparaissent. La société fraternelle du Panthéon français admet la parité, l'égalité. Une campagne se déchaîne alors contre cette « société hermaphrodite » ou les femmes font voter des motions extrémistes, font partie des comités d'épuration et refusent les certificats de civisme. Un juge de paix se plaint que les femmes « votent et délibèrent tant en assemblée qu'en comité... elles partagent les honneurs du bureau ». Il estime « la dignité de l'homme offensé en passant sous la censure de quelques femmes ». Des femmes ignorantes censurant les hommes ! Cruelle inversion ! Des débats houleux sur l'exclusion des femmes entraîneront celle de leurs adversaires hommes.

En mai 1793, un club politique réservé aux femmes est fondé par deux responsables connues pour leur action dans les journées populaires. Claire Lacombe est une ancienne comédienne de vingt-huit ans : elle a combattu à la pique le 10 août pour renverser la monarchie. Pauline Léon est une fille d'artisan qui a repris la boutique avec sa mère chocolatière. Elle a vingt-cinq ans. Elle a participé à la prise de la Bastille.

Elles disposent d'une audience certaine parmi les autres femmes du peuple.

Le club est nommé « Club des Citoyennes Républicaines Révolutionnaires ». Il est ouvert à toutes les candidates de plus de dix-huit ans, ayant fait les preuves de leurs convictions patriotiques. Les membres prêtent serment, « Je jure de vivre pour la Révolution et de mourir pour elle ». Elles nomment une présidente, un bureau et trois comités de douze personnes pour la correspondance, la bienfaisance et l'administration. Pendant les six mois de son existence les Citoyennes Républicaines déploient une activité considérable. Elles reprennent l'ensemble des revendications des femmes pour une « déclaration des droits commune à l'un et à l'autre sexe ».

Elles entendent exercer un contrôle patriotique sur les suspects. Le 18 mai 1793, « un certain nombre de femmes font la police dans le jardin des Tuileries ; elles se chargent de la visite des cocardes et arrêtent les gens qui leur paraissent suspects ; elles donnent le fouet ». En août 1793, elles demandent à être chargées des visites dans les prisons, parallèlement aux comités de surveillance.

Elles revendiquent l'égalité politique, en accord avec les délégations de femmes d'autres sections. Dès juillet 1793, les femmes de la section Beaurepaire avaient apostrophé les députés : « les femmes sont bien loin d'être à la hauteur ; elles ne sont pas comptées dans le système politique ; comme la Constitution repose sur le droit des hommes nous en réclamons aujourd'hui l'entier exercice ». En septembre, les femmes de la section des Droits de l'Homme déposent une motion devant le club des Citoyennes Révolutionnaires : « Pourquoi les femmes douées de la faculté de sentir et d'exprimer leur pensée verraient-elles prononcer leur exclusion des affaires publiques ? » Ces motions passent aux Cordeliers, aux Jacobins et à la Convention, autant de tribunes pour la cause des femmes.

C'est le Club qui lutte pour les cocardes, défile « en pantalons et pistolets », exige que les femmes armées puissent combattre aux frontières. Les mêmes veulent rendre le bonnet rouge obligatoire pour les citoyennes. Chaque initiative remet en cause l'inégalité des sexes.

Les Républicaines demandent la création d'une instruction populaire urgente. Elles s'attachent à la condition morale des femmes du peuple, à la prostitution. Le 18 septembre 1793, une pétition demande à la Commune de « faire transférer les femmes de mauvaise vie dans des maisons nationales pour les y amener à des travaux utiles et ramener s'il se peut aux bonnes mœurs par des lectures patriotiques, ces malheureuses victimes du libertinage, dont souvent le cœur est bon, et que la misère seule a presque toujours réduites à cet état déplorable ». L'arrêté consécutif du 4 octobre frise le contresens ; il se borne à menacer d'arrestation toutes les femmes coupables d'« incitation au libertinage », visant indirectement les Républicaines Révolutionnaires en union libre.

Si ces militantes dérangent, c'est qu'elles disposent d'une audience. Elles ont des liens avec des Enragés. Jacques Roux exalte leur rôle révolutionnaire ; Leclerc est le mari de Pauline Léon. Elles défendent le programme d'économie dirigée et dirigent les manifestations populaires en période de crise. A Lyon, une insurrection féminine avait contrôlé pendant trois jours la distribution des susbsistances et fixé les prix. Le mouvement féminin est à la fois complémentaire et concurrentiel vis-à-vis des organisations populaires. Il remet en cause une exploitation séculaire. La lutte contre le mouvement populaire commencera par la liquidation des clubs de femmes. Mais au début de l'an II, les Citoyennes Républicaines sont reconnues comme une organisation responsable et patriote. Elles sont les initiatrices et les vedettes de l'inauguration d'un temple à Marat, le 16 août 1793. Un moment elles peuvent s'estimer « à la hauteur » de la Révolution.

L'égalité approximative a fait des progrès étonnants. Le peuple s'est rapproché des élites dirigeantes, accédant à certaines responsabilités directes, obtenant du gouvernement montagnard la sécurité matérielle et une reconnaissance politique. En échange les sans-culottes soutiennent la politique de Salut Public et s'associent à une tentative montagnarde de régénération de la société qui vise à transformer radicalement les façons de vivre et de penser des Français.

Cette « révolution culturelle de l'an II », tente de former un « homme nouveau » sur la table rase de la civilisation de l'Ancien Régime.

La fascination de l'Antiquité : Mucius Scaevola.

A a assemblée nationale

B b bucheron

C c Campagne

Alphabet républicain de l'an II.

V. La révolution culturelle : table rase et régénération (septembre 1793-juillet 1794)

« Le peuple voulait retrouver son ami à travers mon œuvre... j'ai recueilli la voix du peuple »
(David.)

La période du pouvoir populaire s'étend d'avril 1793 à avril 1794 ; le pouvoir jacobin ou montagnard de juin 1793 au 27 juillet 1794. L'association provisoire de ces deux pouvoirs crée les conditions de la « révolution culturelle » de l'an II (septembre 1793-juillet 1794). L'élite dirigeante des députés et comités définit les objectifs et les moyens. Les organisations populaires relaient et diffusent les initiatives, en les adaptant à leurs motivations propres. Mais dans quelle mesure peut-on parler de « révolution culturelle » ?

Les historiens ont été sensibles à la cohérence et à l'ampleur des projets de l'an II. Comme il s'agit de répandre par tous les moyens d'éducation et de propagande des principes « universels » de morale et d'idéologie, ils ont comparé cette propagation aux grandes révolutions religieuses. « La Révolution française a considéré le citoyen d'une façon abstraite, en dehors de toutes les sociétés particulières... comme elle avait l'air de tendre à la régénération du genre humain elle a inspiré le prosélytisme et fait naître la propagande... elle est

devenue elle-même une sorte de religion nouvelle, religion
imparfaite il est vrai, sans Dieu, sans culte et sans autre vie,
mais qui, néanmoins, comme l'islamisme a inondé toute la
terre de ses soldats, de ses apôtres et de ses martyrs » (Tocqueville). Taine, violent détracteur des Jacobins reconnaît la
dimension d'une entreprise qu'il rejette farouchement : « les
Jacobins administrent leur panacée au genre humain... (aux)
hommes en général tels qu'ils doivent être au sortir des mains
de la nature ou des enseignements de la raison... des unités
humaines toutes pareilles, indépendantes, égales et qui pour
la première fois contractent ensemble, voilà leur conception
de la société ».

L'expression « révolution culturelle » n'apparaît qu'au XXᵉ
siècle pour qualifier les mutations des révolutions contempo-
raines. Lénine estime en 1922 qu'une « révolution culturelle »
est indispensable pour fonder les révolutions politiques et
sociales de l'URSS. En 1965 débute « la révolution culturelle »
chinoise. Les Montagnards parlaient de « régénération ». Le
premier emploi du terme de « révolution culturelle » pour
l'an II paraît dans la revue *Le Peuple Français* en 1973 dans
un article sur les noms révolutionnaires des communes. En
1978, C. Mazauric parle d'une révolution culturelle jacobine.
Dans un essai d'interprétation de la déchristianisation de l'an
II, nous avons avancé l'idée d'une « ébauche » de révolution
culturelle. Comment la définir ?

« Le bonheur est une idée neuve en Europe » (Saint-Just)

Une révolution culturelle naît d'un accord provisoire entre
des théoriciens au pouvoir et des organisations populaires
militantes, base sociale élargie de l'élite dirigeante, à partir de

concessions mutuelles. En l'an II, « convergent les aspirations diverses, bientôt contradictoires de toutes les couches sociales entraînées dans la voie de la révolution radicale » (Mazauric). Les Montagnards définissent les bases de la révolution culturelle et l'encadrent. La plupart sont des juristes de formation ou des hommes à talents, formés dans les collèges. Ils puisent leurs principes dans leur éducation, leurs lectures, leur pratique.

D'où leur fascination pour les modèles antiques des républiques grecque et romaine. A l'époque l'Antiquité est une seconde nature. Les projets de réformes de l'instruction et des mœurs s'appuient sur les références obligatoires aux grands ancêtres, de Sparte particulièrement. Nous sommes déroutés par l'abondance des noms et citations antiques : Brutus, Mucius Scaevola, Lycurgue, Démosthène, Caton étaient constamment invoqués. Lacédémone (Sparte) représente l'idéal en matière d'éducation politique et civique des adultes. C'est une manière de fonder la légitimité de la Révolution en l'ancrant sur les seules bases historiques comparables.

La connaissance de l'antiquité est modifiée profondément par l'esprit du siècle : « il ne suffit pas qu'un système se présente escorté de noms illustres, qu'il ait pour patrons Minos, Lycurgue et Le Peletier ; il faut d'abord se pénétrer de la différence immense qui se trouve entre la petite cité de Sparte qui contenait peut-être vingt mille individus et un vaste empire qui en renferme vingt-cinq millions » (Grégoire, juillet 1793). L'inspirateur principal de la pédagogie politique des Montagnards demeure Rousseau. Il acquiert la célébrité en 1750 en faisant l'éloge de Sparte par rapport à Athènes : « toute la Grèce était corrompue et il y avait encore de la vertu à Sparte ; toute la Grèce était esclave, Sparte seule était encore libre » (1752). Mais il développe une pensée originale, en proposant les moyens de faire adhérer les individus à la volonté générale, politique et morale.

Rousseau se méfiait des lois qui corrompent les hommes ; de la philosophie qui les pervertit ; de l'instruction qui les dénature. Sa pensée est encore modifiée par les Montagnards en fonction des exigences politiques concrètes du moment. Le passage de la théorie à la pratique révolutionnaire directe crée la « révolution culturelle ». Rousseau professait une vision utopique : « il faudrait que les hommes fussent avant les lois ce qu'ils doivent devenir par elles ». Les Montagnards tentent la transformation réelle des mentalités par les lois.

Ils s'appuient sur les intellectuels et les artistes pour y parvenir. Les projets sont définis par le Comité d'Instruction Publique qui regroupe des écrivains, des enseignants, des représentants des sciences et des arts. Cette association des compétences et des capacités définit les moyens de la « régénération des mœurs ».

Il s'agit de créer un « nouveau peuple » (Le Peletier) pour que « l'intérêt général se confonde avec l'intérêt particulier » (Jean-Bon Saint-André). Les lois ne sont qu'un cadre contraignant et insuffisant. Les hommes doivent être « meilleurs que les lois » (Fouché). Pour changer les hommes il faut changer l'éducation, la rendre commune. L'éducation est différenciée de l'instruction. Les enfants et la jeunesse ne sont pas absents des préoccupations de la Convention. Mais la priorité est à l'éducation politique des adultes, des républicains. Lorsque le Conventionnel Lequinio présente son projet d'éducation, il précise en juillet 1793 : « c'est aujourd'hui citoyens que vous allez commencer à baser votre république... jusqu'ici vous n'avez pas encore pour ainsi dire rien fait pour elle ». Lorsque le peuple respectera, par l'éducation civique et morale, les règles universelles inspirées de la nature et de la raison, il deviendra « sage », « éclairé », « vertueux » et « heureux ». La croyance dans la transformation positive des mentalités est ancrée dans la pensée des dirigeants de l'an II : « qu'une pente universelle vers le bien s'établisse » écrit Saint-Just qui trouve la formule saisissante : « le bonheur est une idée neuve en Europe ».

Pour obtenir « l'entière régénération » (Le Peletier) il faut extirper les racines de l'Ancien Régime, irrationnel et vicié. La révolution culturelle doit détruire les signes, symboles, croyances, valeurs de l'« époque des ténèbres et du fanatisme ». Il faut éliminer les vestiges « gothiques », « barbares » de la monarchie, de la féodalité, de la religion traditionnelle, autant de facteurs de « dégradation pour l'espèce humaine » (Le Peletier). Tant que persistent les germes de l'ancien système social et de la « superstition » la révolution ne sera pas fondée.

La « table rase » est inséparable de la récréation du nouveau système de valeurs « vous ne devez abattre que lorsque vous pourrez réédifier » (Romme). Le régime doit utiliser tous les moyens de propagande pour transformer les mentalités, associant « l'instruction et l'éducation, les progrès des sciences, des lettres et des arts ». La pédagogie politique des Jacobins de l'an II hiérarchise les fêtes, les chansons, les spectacles, les arts, l'écrit et l'oral. Le projet a suscité des réserves évidentes. Il a été assimilé à une simple campagne de « vandalisme révolutionnaire ». La « régénération » aurait été utopique, sans influence réelle sur les mentalités populaires. Qu'en est-il réellement ?

La chute de Louis XIV.

Chasser les rois

Les rois, les grands et les prêtres sont attaqués, dans leurs personnes, leurs représentations et leurs symboles. Les révolutionnaires de l'an II créent des néologismes pour la disparition des piliers du « régime révolu » : Déroiser, déféodaliser, défanatiser...

La liquidation des signes monarchiques est la première en date, officiellement. Depuis la fuite de juin 1791, l'image de marque du roi n'avait cessé de se dégrader. Du « bon roi de France » on était passé au « roi des Français », au « despote », au « tyran » et au « vil pourceau ». A partir du 10 août 1792, le mouvement démocratique s'oppose à ce qui peut évoquer la personne et la fonction royale. Le 11 août est ordonnée la descente de la grande statue de Louis XIV à la place des Victoires. En même temps, Henri IV est chassé du Pont-Neuf. Les statues et monuments en bronze sont convertis en « bouches à feu » à partir du 14 août. Dans toutes les localités, les statues et les fleurs de lys sont détruites, les inscriptions et devises royales grattées ou effacées. Lors de l'exécution du roi le 21 janvier 1793 et de la reine en octobre 1793, se multiplient les caricatures, les estampes satiriques sur la « poule d'Autruche » ou la « matière à réflexion pour les jongleurs couronnés ». A l'été 1793, le mouvement s'accélère. Tous les signes de la royauté sont proscrits à partir du 4 juillet : les tombeaux des rois de la basilique de Saint-Denis, les tableaux des familles royales, les pièces de théâtre sur la cour disparaissent. Des gravures montrent la tête du roi dans la main du bourreau, face au peuple. Des fêtes organisent le simulacre d'un mannequin royal pendu en effigie, guillotiné ou jeté au feu avec les autres emblèmes de la monarchie. Les prénoms des rois des villes, rues, places sont progressivement remplacés. Au début de l'an II (septembre 1793) rien ne rappelle plus aux Français l'ancien roi de droit divin. Le silence se fait. Des participants à une fête refusent d'abattre un pourceau représentant le roi. Ce n'est plus nécessaire : la guerre menée contre la coalition des rois suffit pour interdire toute référence au passé monarchique.

« Un tombereau rempli de tous les signes féodaux... »

L'anéantissement de la féodalité est associée à la destruction des signes de noblesse. Le 17 juillet 1793, l'ensemble des archives des droits, redevances est condamné au feu. Malgré la décision tardive, le vandalisme antiféodal est une réalité. Des milliers de procès-verbaux décrivent l'autodafé des registres seigneuriaux qui accompagnent les hochets et les médailles de la noblesse : « Suivra un tombereau rempli de tous les signes féodaux : on y verra des croix, des cordons bleus » (fête de Ris de décembre 1793). La plupart des feux sont allumés en présence des autorités : « ledit jour 27 octobre 1793 l'an II de la République française une et indivisible, à quatre heures du soir, conformément à notre arrêté ci-dessus, étant accompagnés de la garde nationale, nous composant le conseil général de la commune avons brûlé aux cris de vive la République les titres en parchemin et papiers féodaux ayant appartenu à la dame Chardon, veuve Eudes » (commune de Minville).

LE « TORRENT » DÉCHRISTIANISATEUR

Le principal dossier du « vandalisme révolutionnaire » reste religieux. L'an II voit une triple disparition, incompréhensible pour qui ignore la marche de la révolution : celle des biens ecclésiastiques ; des prêtres ; du culte catholique et des autres cultes, avec des réserves. L'essentiel est acquis dans les quelques mois qui séparent le décret décisif du 6 novembre 1793 de la fête de l'Etre Suprême en juin 1794.

Tous les couvents et monastères avaient été réquisitionnés après le 10 août. Mais il restait plus de soixante mille églises et chapelles, normalement desservies, au mobilier intact. Les premiers biens confisqués sont destinés à la défense nationale : les cloches, puis les objets métalliques pouvant servir à la construction des canons, et les biens en or et en argent pour la fabrication des lingots. La chasse à l'or et au plomb est placée sous le contrôle des administrations locales et ne soulève pas de résistances massives. Un prêtre constitutionnel, Parent propose à la Convention de convertir les cloches en canons — malgré l'attachement affectif de nombreux villageois à leur égard. A partir de septembre, des églises commencent à être détruites dans l'Allier et dans le Cher. Elles étaient désaffectées. La « déchristianisation active » débute le 6 novembre 1793. Toute commune qui le désire peut renoncer au culte et affecter son église à un usage autre que le culte.

Ç'est le début d'une « explosion », d'un « torrent » singuliers. En trois semaines, les églises de Paris et de la région parisienne sont fermées et réquisitionnées, malgré les réticences de certains conventionnels. Le mouvement gagne la province : en février 1794, aucun lieu de culte officiel ou privé n'est ouvert sur toute l'étendue du territoire. Il n'y aura pas de réouverture avant l'accord de février 1795 pour la Vendée et la séparation de l'Eglise et de l'Etat en juin 1795 pour le reste du pays. Dans certaines régions l'interruption dure trois ou quatre ans.

« On y verra des chats, des hiboux, des saints, des lézards, des croix »

Quel est le sort des biens ecclésiastiques ? Les églises seront rarement détruites ; elles sont affectées à des fonctions d'utilité publique (autres que religieuses...). La plupart sont transformées en temples de la Raison, sans les prêtres, la liturgie, le culte et les fidèles catholiques. D'autres servent de centres de réunion aux sociétés populaires ou aux administrations révolutionnaires, dans le district de Corbeil, par exemple. Elles peuvent devenir des hôpitaux, des prisons, des écoles, des maisons pour les jeunes. L'architecture des édifices religieux est donc respectée, ce qui n'est pas le cas du mobilier ou des ornements. A Paris vingt-six églises sont détruites avant 1795 — y compris lors de la déchristianisation active — mais vingt-six entre 1800 et 1814 et trente et une pour la période 1815-1830. D'autres, vendues aux enchères, ont pu être détruites, dans des cas exceptionnels.

L'accusation de vandalisme porte sur les destructions des signes extérieurs des églises et chapelles : cloches, girouettes, bas-reliefs, portails, sculptures. Elle insiste sur la disparition des éléments du décor intérieur : reliques, tableaux, mobilier liturgique, vitraux, autels, croix, châsses, etc. Il est rare qu'une visite ne mentionne une ou plusieurs dégradations volontaires dues à la déchristianisation de l'an II.

De telles affirmations sont souvent fondées. Les objets ecclésiastiques ont pu connaître quatre sorts différents.

— Certains ont été victimes de destructions iconoclastes parfois sauvages, quand elles échappent aux autorités. A Corbeil, le registre de la municipalité déplore que des « vandales » cassent « le portail de l'église Saint-Spire ». A Beauvais, des citoyens déguisés en prêtres démolissent à coups de pioches, de haches, les statues, les girouettes. Le drapeau tricolore prend la place de la croix à Rethondes, du coq du clocher à Mennecy. A Clermont-Ferrand, les tours, le jubé et de nombreuses statues sont démolis dans l'église principale. De nombreuses destructions sont mises en scène par les détachements de l'armée révolutionnaire des sans-culottes avec la participation des sociétés populaires locales. Près de Compiègne, le 4 décembre 1793, ils procèdent à la démolition des autels de l'église de Jaulzy, à l'incendie de tableaux, de livres d'église et de registres paroissiaux. Des milliers de registres mentionnent les disparitions des croix et des calvaires, « ces morceaux de bois traversés par un autre », remplacés par les arbres ou les autels de la liberté. Les objets sont entassés dans des charrettes pour servir d'aliments aux feux purificateurs des fêtes locales, spontanées ou officielles. Ils brûlent avec les lettres de prêtrise et les autres « hochets du fanatisme », les reliques, les livres de piété : « On y verra des chats, des hiboux, des saints, des lézards, des croix... le tout sera condamné par la raison à être brûlé sur la place publique » (Fête de Ris).

« *Quatre croix d'autel, un encensoir et la navette* »

— L'iconoclasme est moins fréquent que les réquisitions officielles des objets de l'église. Les autorités s'intéressent principalement au métal, militaire ou précieux. Les cloches continuent à être expédiées aux manufactures d'armes. En général, la cloche la plus massive est conservée, les autres livrées. Les objets d'or et d'argent peuvent parvenir directement à la Monnaie où ils rejoignent un moment ceux des particuliers. Ils peuvent aussi être envoyés au Comité d'Instruction Publique. On a retrouvé trois cents inventaires de communes proches de Paris, en un mois. Dans le district de Corbeil vingt-sept communes sur quatre-vingt-dix ont expédié des charrettes. Les objets sont minutieusement décrits et pesés par les fonctionnaires du Comité qui délivrent un reçu. La commune est mentionnée à la Convention pour sa conduite civique. Le Directoire du département du Puy de Dôme récupère ainsi sept cent cinquante-huit mille livres de métal. Le district de Compiègne déclare avoir expédié « au creuset national, au creuset brûlant tout ce métal mal employé ». La plupart des églises ont donc été dépouillées officiellement de leurs objets métalliques, de leur vaisselle et de certaines sculptures.

Dépôt d'objets des églises à la Convention

« 8ᵉ Plus de calice, de burettes, de ciboire, de boete à huile, d'ostensoir ou soleil d'argent ou de vermeil : du temps de Jésus-Christ, on ne les connaissait pas et dans ce temps on avait des prêtres d'or et des vases de bois, d'étain ou de verre. Faites-les remplacer promptement par des vases de ces matières et nous vous invitons à nous les apporter avant le 1ᵉʳ frimaire (ou le 21 novembre), afin de les faire porter à Paris et d'obtenir de la Convention un décret qui porte que le canton de Coulommiers a bien mérité de la patrie.

« 9ᵉ Plus de chandelier, plus de lampes, plus de pupitres ou lutrins de cuivre : il nous faut des canons. Mettez vos saints, vos vierges, vos chandeliers, vos lutrins, vos lampes de cuivre, vos cloches à la réserve d'une, vos vases sacrés d'argent dans une voiture, venez déposer le tout au comité révolutionnaire du canton. Annoncez que les citoyens qui s'opposeraient à cet acte de civisme fait pour éteindre le fanatisme, et rappeler notre sainte religion à sa première dignité, seront notés comme suspects et mauvais citoyens. Si vos prêtres s'opposent ou cherchent à empêcher l'exécution de cet acte républicain, venez sur-le-champ nous les dénoncer et nous en ferons notre affaire. »

Comité révolutionnaire de Coulommiers, 21 brumaire an II
(11 novembre 1793)

— Troisième éventualité : les ventes aux enchères. Les biens confisqués sont entreposés à la mairie et vendus à des dates variables. A Mennecy, qui a lancé le mouvement, deux ventes rapportent huit cent quarante livres. A Brétigny, la vente n'aura lieu qu'en 1796. Le plus souvent les fidèles ou les dévots rachètent en bloc l'ensemble dans l'espoir d'une prochaine réouverture de l'église. Parfois les biens sont récupérés avec l'assentiment de la municipalité, par le conseil de fabrique, chargé de leur gestion avant la révolution. Dans ces cas, les biens sont sauvegardés.

— La quatrième solution est la conservation du mobilier par les municipalités.

« Un trafic de mensonges »

Ce « vandalisme » n'est qu'un aspect des attaques contre la religion. La destruction du catholicisme est mentale et n'épargne aucun aspect du culte ancien.

Avant avril 1793, la religion était attaquée à travers la hiérarchie, les réfractaires, la superstition. A partir de juin, les fêtes et les processions extérieures aux églises sont interdites sur tout le territoire, de même que le costume ecclésiastique. En novembre 1793, la déchristianisation porte le coup de grâce à toutes les cérémonies. Deux décrets sur la liberté de culte dans les édifices privés sont rapportés. La réouverture de chapelles en Seine-et-Marne entraîne des incidents sanglants. Une célébration clandestine peut entraîner l'emprisonnement et la mort du prêtre comme Mille, curé d'Evry, décapité pendant la Terreur. Les laïcs prononçant des messes blanches sont traités comme suspects. Les sociétés populaires se déchaînent alors contre l'ensemble de la religion assimilée au fanatisme et à l'ignorance, avec la violence verbale de l'époque. « Religion égale trafic de mesonges... toutes ces pratiques qu'on décore du nom de religion ne sont que des contes de Barbe Bleue (Parent)... soit disant ministre de la soi-disant religion du fils de Marie (Sudraud)... une religion qui dégradait l'homme puisqu'elle nous forçait d'adorer au lieu d'un bâtard le fils de Marie » (Gilard). Ces charges contre le culte viennent de « curés rouges » au moment de leur abdication devant les sociétés populaires qu'ils dirigent parfois.

La révolution culturelle de l'an II

« Chiffons, mômeries »

Des dizaines de milliers de lettres, certificats ou brevets de prêtrise sont alors expédiés au Comité d'Instruction Publique pour être brûlés. Le feu doit anéantir toute trace cléricale. Les anciens prêtres révolutionnaires se livrent à une violente auto-critique, au portrait-charge de leur ministère : « qu'est-ce qui a rendus cruels par la religion des peuples bons et justes par nature ? Ce sont les prêtres... Quiconque se dit inspiré et envoyé du ciel est un imbécile, un charlatan et un fripon... Si une destinée fatale m'a attaché au sacerdoce, j'en abjure de toute mon âme les erreurs » (J. Roux en prison). D'autres militants qualifient ainsi le clergé : « race charlatannière, infernale, maudite, canine, horde, imbéciles, fourbes, cagots, aveugles... » Les lettres brûlent avec les signes de la monarchie et de la féodalité. Elles sont baptisées de surnoms dérisoires : « chiffons, cartouches ecclésiastiques, artillerie canonique, babioles, papiers magiques, brevets d'impostures, mômeries, titres mensongers... ». Que reste-t-il de la religion obligatoire et officielle de l'Ancien Régime ?

Iconoclasme ou vandalisme ?

Mais peut-on parler de « vandalisme » révolutionnaire pour la période de pouvoir jacobin ? S'il faut mettre l'accent sur toutes les formes de destruction, il est nécessaire d'en marquer les limites et les nuances.

Il n'y aura pratiquement pas de dégradation gratuite pendant la période iconoclaste. Les mutilations des statues royales sont relatives à la guerre extérieure et à la « traîtrise » de l'ancien souverain. Le manifeste des émigrés menaçait Paris de destructions et de mutilations bien plus graves. Le brûlement des archives seigneuriales signifie aux yeux des paysans la fin définitive d'un régime d'exploitation millénaire. Les destructions du mobilier religieux ont été sélectives. Il n'y aura pratiquement pas de pillage conçu par les gens du peuple comme une restitution sociale. Ou les autorités contrôlent les opérations, ou ces destructions sont opérées pour des motifs idéologiques précis, la lutte contre le fanatisme et les prêtres contre-révolutionnaires.

Les Montagnards se sont toujours opposés avec résolution aux débordements possibles du vandalisme. De nombreux députés attaquent les destructions du patrimoine national, des œuvres monarchiques comme les tombeaux des rois au nom des leçons de l'histoire : il faut continuer à haïr les tyrans dans leurs représentations. Il s'agit d'éviter les erreurs des Barbares, des « Vandales et des Goths » qui détruisirent sans discernement l'héritage romain. « Nous devons tout conserver et laisser au temps et à la philosophie le soin d'épurer » (Romme). Les fleurs de lys seront détruites, mais la plupart des châteaux seront préservés. En février 1794, la Convention exige le respect de tous » les bâtiments qui portaient ci-devant les noms de châteaux et qui dégagés de tous les signes féodaux et des moyens de résistance ne peuvent nuire à la chose publique ». Les représentants montagnards comme Couthon mettront peu d'empressement à appliquer leurs propres décrets sur la destruction des demeures féodales.

Dans la question religieuse, la plupart des Jacobins étaient favorables à la liberté des cultes, au respect des objets d'église. On est surpris de voir, après 1797, la reconstitution rapide du mobilier de nombreusees églises, la réapparition des tableaux, le maintien des vitraux. Des intellectuels en place avaient assuré la conservation ou la préservation. L'église de Clermont-Ferrand est sauvegardée pour l'essentiel par un architecte, un prêtre déchristianisateur et un conservateur des monuments publics. A Paris, les tableaux sont mis en lieu sûr, gardés au Comité d'Instruction Publique. Face aux destructions idéologiques, au nom de la Nature et de la Raison, la sauvegarde des biens artistiques des églises réduit le vandalisme à ses plus justes proportions.

LES MONTAGNARDS CONTRE LES « VANDALES »

Le terme de « vandalisme » a été créé pour condamner la chose par les Montagnards : Grégoire l'utilise dès janvier 1794. Dès le début des destructions ils cherchent à préserver tout ce qui a trait aux arts, à la philosophie et à la littérature...

« C'est aux livres qu'on doit la révolution »

Sauver les livres des flammes : les · Conventionnels le demandent pour marquer le succès des Lumières sur les temps où l'on censurait et brûlait les œuvres. C'est affirmer la dette contractée à l'égard des philosophes : « Il est impossible que les représentants du peuple ne soient pas convaincus que c'est aux livres qu'on doit la révolution française » (M.J. Chénier). La conservation des livres servira de pièces à conviction dans la lutte ouverte entre « les peuples et les rois ». « Nos bibliothèques fourmillent de traits qui attestent leur scélératesse... Leurs amis, ou plutôt leurs esclaves ou leurs complices, voudraient détruire les pièces de ce grand procès qui intéresse tout le genre humain » (Romme, octobre 1793). L'argument d'un complot des incendiaires pour discréditer la Révolution aux yeux de l'humanité est ainsi avancé. Des décrets sont votés pour préserver les livres, à l'exclusion des traités de « superstition ».

DÈCRETS N.º 1646.

DE LA

CONVENTION NATIONALE,

Des 2 & 4 Octobre 1793, l'an second de la République Françoise,
une & indivisible,

ui accordent à **René Descartes** *les honneurs dûs aux grands Hommes, & ordonnent de transférer au Panthéon François son corps, & sa Statue faite par le célèbre* **Pajou.**

1.º Du 2 octobre.

LA CONVENTION NATIONALE, après avoir entendu
rapport de son comité d'instruction publique, décrète ce
sait :

ARTICLE PREMIER.

René Descartes a mérité les honneurs dûs aux grands
hommes.

II.

Le corps de ce philosophe sera transféré au Panthéon
François.

III.

Sur le tombeau de *Descartes*, seront gravés ces mots :

Au nom du Peuple François,
La Convention nationale
à RENÉ DESCARTES.
1793, l'an second de la république.

IV.

Le comité d'instruction publique se concertera avec le
ministre de l'intérieur pour fixer le jour de la translation.

V.

La Convention nationale assistera en corps a cette solennité ; le Conseil exécutif provisoire & les différentes autorités
instituées renfermées dans l'enceinte de Paris. y assisteront
également.

Visé par l'inspecteur. Signé S. E. MONNEL.

Collationné à l'original, par nous présidens & secrétaires de la
Convention nationale. A Paris le sixième jour du premier mois de l'an second de la république une & indivisible, Signé L. J. CHARLIER, *président*; PONS (de Verdun) &
LOUIS (du bas Rhin), *secrétaire.*

AU NOM DE LA RÉPUBLIQUE, le Conseil exécutif
provisoire mande & ordonne à tous les Corps administratifs & Tribunaux, que la présente loi ils fassent consigner

dans leurs registres, lire, publier & afficher, & exécuter
dans leurs départemens & ressorts respectifs : en foi de
quoi nous y avons apposé notre signature & le sceau de la
république. — A Paris, le sixième jour du premier mois
de l'an second de la république Françoise, une & indivisible.
Signé DEFORGUES. Contresigné GOHIER. Et scellée du
sceau de la république.

2.º Du 4 Octobre.

LA CONVENTION NATIONALE décrète que la statue
de *Descartes*, faite par le célèbre *Pajou*, & qui se trouve
déposée dans la salle des antiques, en sera extraite pour
être placée au Panthéon le jour où les cendres de ce
grand homme y seront transférées ; autorise le ministre de
l'intérieur à faire faire tous les arrangemens & ouvrages
nécessaires pour remplir cet objet.

Visé par l'inspecteur. Signé JOSEPH BÈCKER.

Collationné à l'original, par nous président & secrétaires de
la Convention nationale. A Paris, le 5 octobre 1793, l'an
second de la république une & indivisible. Signé L. J
CHARLIER, *président*; PONS (de Verdun) & LOUIS (du
bas Rhin), *secrétaires.*

AU NOM DE LA RÉPUBLIQUE, le Conseil exécutif provisoire mande & ordonne à tous les Corps administratifs
& Tribunaux, que la présente loi ils fassent consigner dans
leurs registres, lire, publier & afficher, & exécuter dans
leurs départemens & ressorts respectifs ; en foi de quoi
nous y avons apposé notre signature & le sceau de la république. A Paris, le cinquième jour du mois d'octobre mil
sept cent quatre-vingt-treize, l'an second de la république
Françoise, une & indivisible. Signé DESTOURNELLE.
Contresigné GOHIER. Et scellée du sceau de la république.

es philosophes au Panthéon.

Il ne suffit pas de lutter contre les Goths et les Vandales de l'intérieur ; les Montagnards poursuivent la politique de conservation des documents écrits et imprimés amorcée par la Constituante. Sous l'Ancien Régime les archives relevaient du domaine privé, étaient difficilement communicables. En 1789, la création des Archives nationales ouvre un service de conservation public, de garantie du patrimoine, à l'opposé du vandalisme. Cette mesure est élargie en juin 1794, avec des moyens financiers considérables.

Naissance des musées

Contre l'accusation de mutiler les œuvres d'art, les Conventionnels affirment leur volonté de préserver les tableaux et les sculptures. C'est aussi nécessaire que de détruire les emblèmes de l'ancien ordre des choses. Mais les œuvres réalisées pour célébrer les rois et les princes ? Les décrets sur les démolitions comportent un article prescrivant de « veiller spécialement à ce qu'il ne soit apporté aucun dommage par les citoyens peu instruits ». La destruction des portes et des hôtels particuliers soulève les protestations des députés. Quand les statues des Tuileries sont dégradées, la Convention décrète deux ans de prison pour les Vandales, puis établit une garde de cent vingt invalides pour protéger le jardin (juillet 1793).

L'établissement de musées nationaux et départementaux complète la création des archives. Les objectifs de la loi d'octobre 1793 sont clairs : « Les monuments publics transportables, intéressant les arts ou l'histoire, qui portent quelques-uns des signes proscrits, qu'on ne pourrait faire disparaître sans leur causer un dommage réel, seront transférés dans le musée le plus voisin, pour y être conservés pour l'instruction nationale ». L'article 10 informe les sociétés populaires et les « bons citoyens » des risques des destructions inconsidérées. Les musées seront placés sous le contrôle de commissions d'artistes chargé de répertorier et de classer les œuvres. Pour la première fois, le patrimoine artistique relève d'un service public, qui le garantit et le conserve. Comme tel, il peut être accessible à tous les publics, au lieu d'être comme par le passé réservé à l'élite.

Cette politique, contrôlée par la Commission des arts et le Comité d'Instruction publique, est efficace. A côté des salles réservées aux Salons, des galeries du Louvre offrent des tableaux et des sculptures au public, dès le mois d'août 1793. Le 8 novembre 1793 est créé le Muséum central des Arts, avec cinq cents tableaux et des catalogues rédigés par les artistes. Le 18 décembre 1793, un musée par département doit fonctionner, sur le modèle suivant.

Carte d'étude au musée.

Création d'un musée départemental

« Considérant qu'un peuple libre doit sans cesse encourager les beaux arts, qui font sa gloire et dont l'influence peut servir à propager l'esprit républicain, en retraçant les actions des héros et les images des grands hommes.

Considérant que la prospérité publique naît souvent de la splendeur des arts, et l'émulation des honneurs rendus au génie...

Art. 1er : Il sera établi à Auch, dans un édifice public, désigné par l'administration du département, un muséum provisoire.

Art. 2 : Le citoyen Lartet, professeur de l'école des arts, sera chargé de la direction de ce muséum, sous la surveillance de l'administration du département.

Art. 3 : Il est autorisé à parcourir les districts du département du Gers, et, d'accord avec les administrations, à rechercher dans les édifices nationaux et maisons des émigrés, les tableaux, statues, gravures et autres monuments des arts.

Art.4 : Ceux de ces monuments qu'il jugera dignes d'être conservés, il les déposera au muséum. »

A Auch, le 26 frimaire, l'an deuxième de la République

Ces institutions nouvelles en France ont permis de mettre à l'abri la plupart des chefs-d'œuvre des églises et des collections privées.

Les Montagnards professaient le respect des œuvres produites par le talent et le génie : « Les chefs-d'œuvre des arts sont des grands moyens d'instruction » dans leur projet de régénération du peuple français. La politique jacobine va au-delà du respect du passé, pour créer les conditions d'un « art révolutionnaire ».

L'idée du vandalisme jacobin est un faux sens historique.

172

La révolution culturelle

Les archives et les musées en l'an II en sont l'antithèse. Il est aussi exact d'affirmer que la défense du patrimoine culturel est née en l'an II, que de démontrer que les jacobins et sans-culottes ont détruit les symboles des « élites dirigeantes » de l'Ancien Régime par l'iconoclasme et le feu, simultanément.

LA RÉGÉNÉRATION PAR LA PÉDAGOGIE POLITIQUE

La table rase doit permettre à la génération révolutionnaire de sortir de l'« imbécillité de nos pères ». Il faut former un « homme nouveau » par l'instruction et la propagande. Dès septembre 1791, la Société des Amis de la Constitution (jaco-bine) définit les moyens de la régénération : « Tous les bons citoyens sentent combien il est important pour la cause de la liberté d'instruire nos frères des campagnes ou pour parler plus juste de les délivrer des erreurs que l'art de l'oppression entretient... On propose de purifier les voies de la corruption usitée par la politique du gouvernement et de faire servir à nos frères 1) les nouvelles 2) les almanachs 3) les chansons 4) les danses 5) les spectacles et de recommander la propagation de ces moyens faciles aux sociétés des Amis de la Constitution dans leurs arrondissements respectifs ». L'utilisation massive de ces moyens est appliquée en l'an II, pour former et mobili-ser le peuple. Afin de le rendre « meilleur que les lois », transformer les mentalités, se précise la révolution culturelle.

Les nouvelles

Pour diriger l'opinion, la presse est moins utilisée que les affiches et les almanachs, plus accessibles au public populaire.
Le presse d'opinion doit s'adapter à la réglementation issue

de la Terreur. A partir de juin 1793, les seuls périodiques autorisés sont officiels. La presse royaliste a été interdite à partir du 12 août 1792 ; les imprimeries girondines ont été redistribuées à l'exception de la *Feuille Villageoise* qui connaît des retards, puis l'incarcération de ses rédacteurs avant de devenir semi-officielle.

Le journaux tolérés déterminent des sensibilités exacerbées par les luttes pour le pouvoir. Les rapports avec le pouvoir central sont difficiles. Trois cas de journaux populaires le montrent.

Le Père Duchesne s'impose après le 10 août : la trajectoire politique d'Hébert suit la courbe montante des abonnés. Substitut du procureur de la Commune, il s'illustre dans la lutte contre la Gironde. Mis en cause, arrêté, il publie la « Grande dénonciation du Père Duchesne », contre Dumouriez. L'élimination des Girondins et de la reine « coco » — Mme Roland — le place en journaliste officiel : certains numéros, répandus dans les armées, sont tirés à cent cinquante mille exemplaires. Hébert est le grand bénéficiaire de la Journée du 5 septembre 1793 qui marque l'apogée du mouvement populaire. Mais il gêne, par ses ambitions. Mis en cause par Robespierre lors de la déchristianisation, il doit se justifier, en décembre 1793 : « Je ne connais pas de meilleur jacobin que le sans-culotte Jésus ». Il est alors attaqué par Desmoulins pour avoir touché des subsides. Une guerre de périodiques se déclenche entre le *Petit Cordelier* et le *Père Duchesne*, à coup d'affiches et d'éditoriaux. Hébert l'emporte provisoirement, par le brûlement du *Petit Cordelier*. En mars 1794, il est « l'évangile des sans culottes » ; en avril, il est guillotiné comme « exagéré » ; on découvre des réserves de lard chez ce dénonciateur des accapareurs. Le *Père Duchesne* disparaît comme périodique populaire.

Desmoulins était un journaliste professionnel, le seul à ne pas occuper de responsabilité politique. Comme acteur de la prise de la Bastille, il dispose d'un crédit important dans l'opinion. Quand il publie le n° 1 du *Petit Cordelier* pour dénoncer les excès de la Terreur, en janvier 1794, le choc est brutal. *Le Petit Cordelier* après quatre numéros, sera saisi et brûlé. Desmoulins disparaît avec les Indulgents, guillotiné en mars 1794.

L'Ami du Peuple, le deuxième oracle des sans-culottes survit un moment à l'assassinat de Marat (le 13 juillet 1793). Le 15 et le 17 paraissent deux *Ami du Peuple* rédigés par des héritiers prétendus du martyr. J. Roux lance ainsi *le Publiciste de la République française par l'ombre de Marat l'ami du Peuple*. Il est arrêté en septembre 1793 et rédigera les derniers numéros en prison avant de se donner la mort, en février 1794. Les luttes entre les factions rendent périlleux le métier de journaliste d'opinion.

Le Journal de la Montagne, compte près de huit mille abonnés en l'An II. Il est lu dans les sociétés populaires de province, mais le prix de l'abonnement — cinquante livres — le rend peu accessible aux sans-culottes. L'éducation politique passe par des moyens plus efficaces...

« Aujourd'hui l'affiche est une puissance et peut-être la première de toutes. »

Par les avantages de la distribution, de la mobilisation des esprits, les affiches connaissent une diffusion considérable en l'an II. Les journalistes utilisent souvent les placards. Les murs, couverts d'affiches multicolores, ont la parole. Ils peuvent dénoncer « Le Brissot du mois de septembre et le Brissot

RÉPUBLIQUE FRANÇAISE.

AFFICHE
DE
MMUNE DE P

791, l'an 10. de la République Française.

AU NOM DE LA RÉPUBL

ARRÊTÉ
DES REPRÉSENTANS DU PEUPLE

Portant invitation aux Citoyens de Marseille, d'Aix
autres Communes du Département, de fournir
le champ, chacun suivant ses facultés, des Chem
toutes faites, pour les Soldats de la Liberté
comp

CLUB
DES CORDELI
ARRÊT
SUR
CHAUMI
ET HER

UNICIPALITÉ
DE PARIS.

ARTEMEN
AVAUX PUBLIC

di 14 Novembre 1789.

aux publics ordonne à MM. les
rapporter, tous les soirs, au Bure
contenant les noms & quali
ès à cette démolition, dont l'app
rence tous les jours, faute de
x.

14 Novembre 1789.

Maire ; Jallier de Savault.

présent les Chefs & Sous-Chef
de la grande atteur Ouvrier qui
aux Rôles de la somme

DÉCRET
DE LA
CONVENTION NATIONALE.

Du 3 Avril 1793, l'an second de la République Française.

Qui déclare que Dumouriez, traître à la Patrie, est mis hors de la Loi ;
autorise tout citoyen à courir sus, & assure une récompense de trois
cent mille livres & des Couronnes civiques à ceux qui s'en saisiront
& l'amèneront à Paris mort ou vif.

Paroisse de SAINT-GERVAIS

MUNICIPALITÉ DE P

AVIS.

MESSIEURS les Ecclésiastiques attachés ou
dans la Paroisse de Saint-Gervais, qui se sont pr
Secrétariat & Greffe de la Municipalité, pour y déc
étoient dans l'intention de prêter le Serment ordon
Décret de l'Assemblée Nationale, du 27 Novemb
accepté par le Roi le 26 Décembre suivant, transcrit
les Registres de la Municipalité, & publié le 2 Janvier
Sont prévenus que, Dimanche 9 Janvier 1791, M
Commissaires Députés par le Conseil général de la Co
se transporteront en l'Église Paroissiale susdite, po
présens au Serment, qui sera prêté à l'issue de
Paroissiale.
MM. les ci-devant

PROCLA
CONSEIL
PROV
EXTRAIT des K
Janvier 1793, l'a

d'aujourd'hui ». Ils justifient parfois des politiciens mis en cause comme Marat ou Hébert lors de leurs procès, par des guerres d'affiches. Les décrets des corps constitués sont placardés et lus par la foule. Des centaines d'affiches témoignent de l'activité des représentants en mission ; du 14 septembre 1793, ils exigent des soldats le respect des maisons particulières ; du 13 octobre 1793 ils informent que Lyon sera rasée ; du 2 décembre, à Perpignan, l'officier et le soldat doivent être soignés également ; du 7 février, à Bayonne, l'armée plantera des arbres de la liberté. Les informations économiques, les avis de réquisition, les procès-verbaux des fêtes passent par voie d'affiche.

Des almanachs civiques

La place de l'almanach dans la propagande jacobine peut surprendre. Cela tient à la popularité du genre dans les milieux modestes, villageois et urbains. Bon marché, six à douze sous soit une demi-journée de travail, l'almanach peut faire passer » des choses bien plus graves que ne le croient les gens futiles » (Michelet) à côté des rubriques familières, précisément parce qu'elles sont familières. Les almanachs sont « le manuel des gens de campagne et toute leur bibliothèque ». En septembre 1791, les Jacobins lancent un concours pour apporter à l'almanach une « partie instructive » sur l'histoire de la Révolution, le changement de la conduite des Français, les droits, les devoirs... la fraternité avec Sparte, Rome. Ce prix va, sur quarante-deux propositions, à *l'Almanach du Père Gérard*, de Collot d'Herbois. Il explique aux villageois les principes de la Révolution par l'entretien familier, plus souple que le catéchisme des droits et devoirs par questions-réponses. L'almanach devient un moyen de vulgarisation politique de premier ordre. Jusqu'en 1792, les almanachs traditionnels l'emportent sur les politiques : vingt et un contre sept en 1791. A partir de 1793, l'almanach politique triomphe : dix-huit contre dix en 1793, seize contre deux en l'an II et vingt-quatre contre trois en l'an III, dans la période jacobine. Peut-on parler de populisme dans la mesure où ils sont écrits par des intellectuels, des bourgeois, comme Maréchal et son *Almanach des républicains* ? La différence avec la *Feuille Villageoise* girondine tient à l'affirmation de la solidarité des auteurs avec les sans-culottes des villes et des campagnes. En l'an II, un auteur de vingt-cinq ans, Rouy, ancien « joueur de gobelet » est un sans-culotte incontestable : il reçoit les quarante sols destinés aux pauvres qui assistent aux réunions de section. L'almanach de l'an II a permis de diffuser dans les milieux populaires les principes de la Révolution et l'écho des « belles pensées de Jean-Jacques Rousseau ».

La chanson révolutionnaire : « qui meurt pour le peuple a vécu ».

On a toujours chanté sous la Révolution, mais la première République voit le triomphe de la chanson patriotique, « moyen de propagande et de polémique », comme au temps des mazarinades de la Fronde. Sur trois mille chansons recensées en dix ans, on trouve cinq cent quatre-vingt-dix titres en 1793 et sept cent un pour 1794, qui correspond pratiquement à l'an II. Dans les cinq années suivantes, la production n'atteint que six cent deux titres. La raison de ce succès figure dans un discours de Coupé de l'Oise aux Jacobins.

Puissance de la chanson civique

Elles sont un moyen que le gouvernement emploie sur la multitude... Il est tout-puissant. Que l'on mette les principaux traits de notre révolution en strophes variées... et le patriotisme passant avec elles dans toutes les âmes les parcourera comme l'éclair et fera les délices de notre jeunesse... Il sera doux à des patriotes d'aller porter à leurs concitoyens une joie véritable, des danses, des airs à boire et de chanter avec eux Vive la Nation, vive la Liberté... or quand l'esprit de la Révolution aura ainsi passé dans la veine de la jeunesse, y a-t-il une force sur terre qui ose les combattre.

Coupé de l'Oise, janvier 1791

La chanson se situe au carrefour des poètes et des musiciens. A côté des chanteurs professionnels comme Ladié, le « chansonnier des sans-culottes », et des anonymes qui mettent en vers les airs à la mode, on trouve les signatures de la plupart des grands écrivains ou dramaturges : M.J. Chénier, S. Maréchal, Rouget, Coupigny, A. Valcour... Ils se couplent avec les musiciens les plus réputés : Gréty, Dalayrac, Catel, Lesueur, Cherubini : « Presque tout ce que la France comptait de musiciens, devait contribuer à la chanson révolutionnaire » (Robert). Gossec créera trente chansons pour les fêtes révolutionnaires, en collaboration avec Chénier. Méhul en signe vingt, dont le *Chant du Départ*, appelé à un énorme succès en 1794.

On peut retracer une histoire de l'an II par les chansons. Les victoires extérieures — Fleurus pour le Chant du Départ — et intérieures — la prise de Toulon — représentent le thème le plus fréquent. Les chants allégoriques traduisent le mieux les goûts des Montagnards : on chante l'Egalité (un peu), la Liberté et la Raison (beaucoup), l'Etre Suprême. La fête de l'Etre Suprême en juin 1794 suscite cent vingt chansons de ce genre :

> « Père de l'univers, surprême intelligence
> Bienfaiteur ignoré des aveugles mortels
> Tu révélas ton être à la reconnaissance
> Qui seule éleva tes autels. »

Plus populaires sans doute, les fêtes des martyrs de la jeunesse Bara et Viala (treize ans), inspirent une cinquantaine de poètes. Les adolescents reprennent en cœur les couplets du *Chant du Départ* lors des cérémonies civiques :

> « De Bara, de Viala le sort nous fait envie
> Ils sont morts mais ils ont vaincu
> Le lâche accablé d'ans n'a pas connu la vie
> Qui meurt pour le peuple a vécu. »
>
> (M.J. Chénier et Méhul.)

Des chants patriotiques évoquent la fabrication du salpêtre et des canons ; des chants civiques décrivent le divorce républicain ou l'adoption ; le nouveau calendrier révolutionnaire pénètre dans les mentalités par ces strophes :

> « Messieurs de Mars et de Janvier
> Vous vous moquiez de Février
> Près de trois fois six cents années
> Entre vous je fus comprimé
> Mais enfin des âmes bien nées
> Viennent secourir l'opprimé. »

Les sans-culottes sont présents dans des chants de l'an II : *Conseil aux sans-culottes*, le *Couplet des Patriotes du faubourg Saint-Antoine*. Les chansons sont intégrées à la pratique militante : à la société populaire, dans les défilés ou manifestations, dans les fêtes et les spectacles, elles sont l'expression enthousiaste de la mobilisation du moment. Un représentant en mission insiste sur l'engouement populaire : « rien n'est plus propre que les hymnes et les chansons patriotiques à électriser les âmes républicaines. J'ai été témoin de l'effet prodigieux qu'elles produisent lors de ma mission dans les départements... Nous terminions toujours les séances des corps constitués et des sociétés populaires en chantant les hymnes et l'enthousiasme des membres et des spectateurs en était la suite immanquable ».

Au-delà de la chanson politique, une révolution musicale s'amorce. Sous l'Ancien Régime dominaient les musiques religieuses et instrumentales réservées aux privilégiés. En l'an II triomphe la musique civique dans la définition de Sarrerre de novembre 1793 : « point de république sans fête nationale, point de fêtes nationales sans musique ». Les créateurs recherchent les instruments susceptibles de traduire cette nouvelle musique, conçue pour les grandes cérémonies de plein air où les masses vocales et les instruments à vent s'imposent.

La musique doit être accessible au peuple. Un « magasin de musique » pour conserver et diffuser les chants révolutionnaires est fondé en 1793 ; il deviendra deux ans plus tard le Conservatoire de musique ; des musiciens célèbres le gèrent et y donnent des cours. « L'exécution n'était plus seulement l'affaire des professionnels mais du peuple lui-même qui prenait sa part active aux manifestations artistiques comme aux affaires de l'Etat » (F. Robert). L'apogée de la musique civique correspond à celle du mouvement révolutionnaire, « son déclin s'amorça au lendemain de thermidor ». La mémoire collective n'a conservé qu'un faible nombre des mille trois cents chansons de l'époque jacobine. C'est dommage.

La révolution culturelle de l'an II

Les fêtes : « en tête les sociétés populaires, puis la convention »

Aux yeux des Montagnards, les fêtes civiques et patriotiques sont supérieures aux autres moyens. Elles rappellent les fêtes de l'Antiquité, célébrées en plein air par les peuples jugés vertueux, Spartiates et Romains. Elles peuvent rassembler les foules dans un esprit de communion. Elles concentrent tous les genres capables de frapper l'imagination et la sensibilité des participants. Les fêtes de l'an II sont conçues comme un spectacle total.

Compte tenu du retard pris par l'instruction publique primaire, les fêtes permettent de répandre rapidement le civisme, parmi les adultes et les jeunes. Certains jugent en effet l'éducation scolaire inutile ou secondaire face aux fêtes. « Ce n'est pas la science qui rend l'homme heureux mais la vertu... si nous voulons devenir vraiment républicains il nous faudra oublier au moins la moitié de ce que nous savons » (Jean Bon Saint-André, juin 1793).

Le décret du 1er décembre 1793 organisant l'Instruction Publique donne aux fêtes une place particulière :

« Art. 1. La réunion des citoyens en sociétés populaires, les théâtres, les jeux civiques, les évolutions militaires, *les fêtes nationales et locales* font partie du second degré d'instruction publique.

« Art. 2 Pour faciliter la réunion des sociétés populaires, la célébration des fêtes locales et nationales, la Convention déclare que les églises et les maisons ci-devant curiales, actuellement abandonnées, appartiennent aux communes. »

Trois personnalités sont au cœur de l'inspiration des fêtes de l'an II. Robespierre établit les principes généraux et la liste dans un rapport fameux du 7 mai 1794 ; J.-L. David met en scène la plupart des grandes fêtes parisiennes avec des plans détaillés pour chaque cérémonie ; M.-J. Chénier compose la plupart des hymnes joués. Leurs convergences définissent les objectifs de la fête montagnarde.

Elle est prioritaire : « La première chose qui se présente à l'esprit en traitant de l'éducation morale, c'est l'établissement des fêtes nationales (Chénier) » ; « Il est cependant une sorte d'institution qui doit être considérée comme une partie essentielle de l'éducation publique... Je veux parler des fêtes nationales (Robespierre) ».

Les ordonnateurs la conçoivent comme un défilé grandiose du peuple en marche. Toute la population doit participer, dans un ordre défini, selon la fonction, le sexe, l'âge ; chaque catégorie porte les emblèmes et les banderoles qui la distin-

Le peuple dans la fête

> Vous y serez, vénérables vieillards
> Vous y serez, tendres enfants de la patrie
> Vous y serez jeunes citoyennes
> Vous y serez, mères de famille.
>
> Robespierre

> « Ils se mettront en marche... En tête les sociétés populaires, puis la Convention, les commissaires des assemblées primaires des quatre-vingt-six départements... la masse du souverain tous confondus, le maire à côté des bûcherons et des maçons ; le noir africain qui ne diffère que par la couleur marchera auprès du blanc européen... les aveugles, les tendres nourrissons et enfants trouvés, un vieillard et sa vieille épouse, l'armée...
>
> David, fête du 10 août 1793
> (Rapport)

guent des autres. Pour être réussie, la fête montagnarde doit répondre au déroulement minutieux des plans préparatoires. La fête remplit des fonctions pédagogiques hiérarchisées. L'aspect commémoratif est essentiel avec l'évocation des « événements immortels de notre révolution » (Robespierre). Les grandes fêtes nationales sont les anniversaires du 14 juillet 1789 ou la fédération de 1790, du 10 août 1792, du 21 janvier 1793 — l'exécution de Louis XVI —, du 31 mai 1793 — l'élimination des Girondins. D'autres fêtes doivent célébrer les martyrs des révolutions passées et présentes, provoquer l'« horreur sacrée » et la vengeance par la représentation la plus directe du révolutionnaire assassiné : ses « restes », ses vêtements tachés de sang. En quelques semaines sont créés les cultes des « jeunes martyrs » associés à Marat, Lepeletier, et au Lyonnais Chalier. Joseph Bara est tué près de Cholet le 7 décembre 1793 : dix jours plus tard son nom figure dans les *Annales du Civisme* destinées à êtres lues dans les écoles et les assemblées populaires. On le retrouve dans les manuels élémentaires préparés par le Comité d'Instruction Publique. Admis au Panthéon comme Marat, il devient le symbole de la « jeunesse héroïque » : « les Français seuls ont des héros de treize ans ; c'est la liberté qui les produit ». Une gravure de Bara est exposée dans les écoles primaires : cinquante hymnes et chansons lui sont consacrés. Cet exemple montre l'efficacité de la propagande. Les fêtes échelonnées composent conformément au vœu de M. Chénier : « une histoire annuelle et commémorative de la Révolution française ».

Trente-six autres fêtes nationales, une par période de dix jours doivent contribuer à la régénération morale ; libérer les « passions généreuses » et républicaines ; exalter les vertus ; diffuser les principes moraux du culte républicain.

« Que toutes les fêtes soient célébrées sous les auspices de

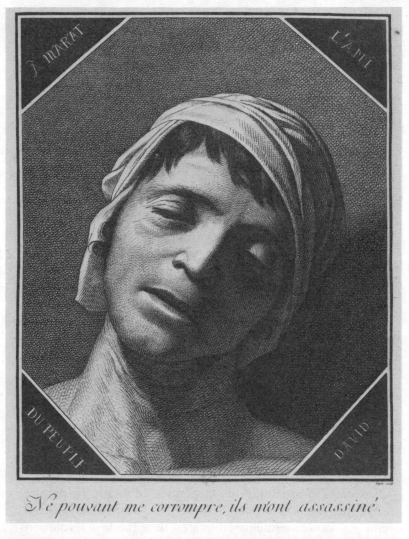

Le Martyr de la Liberté, gravure de Copia.

l'Etre Suprême ; qu'elles lui soient consacrées » (Robespierre).
La fête doit prouver que le « fondement de la société civile est
la morale ». Robespierre entend frapper les sens et l'imagination du public pour propager « la vertu, le civisme, le sacrifice, la tempérance, l'absence de vices et de déréglements, la
frugalité, le patriotisme, l'obéissance » ; « un système de fêtes
nationales bien entendu serait à la fois le plus doux lien de
fraternité et le plus puissant moyen de régénération ». Le succès de la fête semble assuré par les objectifs et la mise en
scène ; David prédit le comportement de la foule, à l'avance.

Certains Montagnards rejettent la concurrence du théâtre à
l'égard des fêtes. En décembre 1793, Cloots, « l'orateur du
genre humain » nie l'influence civique du théâtre : « Pas
d'autre théâtre à nos sans-culottes que la nature ». En juin
1794, Payan déplore que les pièces sur la fête de l'Etre
Suprême dénaturent la grandeur de l'événement : « Elles
n'offrent quels que soient les talents de leurs auteurs que des
cadres étroits au lieu d'immenses tableaux... Une image sans
vie en substituant des groupes à la masse du peuple, en insul-
tant à sa majesté ». Les autres Montagnards rejettent la subor-
dination des arts à la fête. L'intégration des artistes dans la
cité et leur engagement doivent créer un art révolutionnaire
accessible au peuple pour la propagation de la révolution culturelle. C'est un aspect peu connu de l'œuvre jacobine.

UN ART RÉVOLUTIONNAIRE

Les batailles artistiques de la période censitaire ne permet-
taient pas de « révolution culturelle » : les cadres anciens,
remis en cause, restaient en place ; la « mode » révolutionnaire était combattue par l'esthétique traditionnelle ; le peu-

ple restait absent des principaux circuits de l'art. Ces obstacles sont levés en l'an II.

La lutte pour la fin des privilèges des arts prend fin à l'été 1793, par la suppression des académies élitistes. Dans la période égalitaire d'octobre-novembre 1793, les peintres académiciens, les artistes de l'Opéra procèdent au brûlement de leurs titres, diplômes et brevets dans des séances publiques. La réforme entraîne la démocratisation des professions artistiques. Les artistes favorables à la révolution peuvent siéger

Le mythe du « désert artistique »

« La Révolution et l'Empire n'ont pas interrompu la continuité artistique... le XVIIIᵉ avait beaucoup construit : la révolution marque un temps d'arrêt... La Terreur arrêta les travaux, introduisit quelques thèmes allégoriques. »
L'Art sous la révolution, 1953

« L'art est sans doute plus apte à exprimer les états de civilisation que les moments de rupture violente... »
J. Starobinski, les *Emblèmes de la raison*

« L'échec de l'œuvre artistique de la Révolution. »
Trahard, la *Sensibilité révolutionnaire*

« La Révolution s'accompagne d'une production littéraire intense mais médiocre. »
Lagarde et Michard, 1961

« La Révolution est une sorte de lacune, un espace désert et stérile pour l'histoire de l'art comme pour les artistes de ce temps. »
Quatremère, architecte contemporain de la Révolution

Les poètes et le régime

Le comité de Salut public appelle les poètes à célébrer les principaux événements de la Révolution française ; à composer des hymnes et des poésies patriotiques, des pièces dramatiques et républicaines ; à publier les actions héroïques des soldats de la liberté, les traits de courage et de dévouement des Républicains, et les victoires remportées par les armées françaises.

Il appelle également les citoyens qui cultivent les lettres, à transmettre à la postérité les faits les plus remarquables et les grandes époques de la régénération des Français ; à donner à l'histoire le caractère sévère et ferme qui convient aux annales d'un grand peuple conquérant sa liberté attaquée par tous les tyrans de l'Europe ; il les appelle à composer des livres classiques, et à faire passer, dans les ouvrages destinés à l'instruction publique, la morale républicaine ; en attendant qu'il propose à la Convention le genre de récompense nationale à décerner à leurs travaux, les époques et les formes du concours.

Décret de mai 1794 (27 floréal an II)

dans les commissions et les sociétés républicaines des arts ; participer à la politique de conservation et de « régénération » ; postuler à une place dans les jurys artistiques pour récompenser les lauréats des concours et Salons ; concourir et voir leurs œuvres exposées au public.

Le gouvernement montagnard définit une politique artistique, encourage la création, par des subventions et des commandes publiques.

Des historiens déplorent la disparition des formes artistiques anciennes. L'architecture privée des palais et des hôtels a subi un sérieux coup d'arrêt. Les artistes employés par les anciennes élites sont désœuvrés. Le mobilier de luxe, la peinture de genre connaissent une éclipse durable.

Une censure réelle touche le théâtre. Le 2 août 1793 paraît le décret suivant : « Tout théâtre sur lequel seraient représentées des pièces tendant à dépraver l'esprit public et à réveiller la honteuse superstition de la royauté sera fermé et les directeurs arrêtés et punis selon la rigueur des lois ». Douze commissions sont chargées du contrôle des spectacles. En deux mois, cent cinquante pièces passent à la censure : trente-trois sont interdites et vingt-cinq modifiées, comme *Guillaume Tell* qui devient *les sans-culottes suisses. Tartuffe* est soigneusement épuré de tout ce qui rapelle la cour ou l'aristocratie. En mars 1794, des œuvres de Racine et de Corneille disparaissent des scènes. Des pièces autorisées, comme *Paméla* de François de Neufchâteau ou *Timoléon* de M.-J. Chénier peuvent être retirées pour telle tirade jugée contre-révolutionnaire : « N'est-on jamais tyran qu'avec un diadème ». *Timoléon* est même brûlé sur la scène par son auteur.

« J'ai recueilli la voix du peuple »

Pourtant, l'Etat subventionne et emploie les artistes : « La sculpture reçut de la révolution une grande impulsion... un mouvement extraordinaire, méconnu volontairement et passé sous silence par la plupart des historiens de l'art » (S. Blondel). Les sculpteurs sont chargés de réaliser les bustes des grands martyrs de l'Antiquité — Brutus —, des philosophes — Voltaire, Rousseau, Franklin — pour le Salon de 1793, richement doté. Au Salon de l'an II, des sculptures allégoriques et civiques représentent le Peuple, la Philosophie, la Liberté. Des milliers de bustes et sculptures sont créées pour les édifices publics, les sociétés populaires : « Le siècle de la monarchie à qui ni le temps ni la fortune ne manquèrent n'avaient rien produit d'aussi grand » (Renouvier).

Les Salons de peinture connaissent la même évolution. En 1789, trois cent cinquante tableaux avaient été exposés ; en 1793, mille ; en 1795 trois mille quarante-huit. Les plus grands noms de la peinture contemporaine figurent dans les signatures de l'an II. Le Salon est encouragé par quatre cent quarante-deux mille livres de prix. On y représente le *Triomphe du peuple ; La fête des sans-culottes sur les ruines de la Bastille ; Le siège des Tuileries par les braves sans-culottes...* Prudhon « le peintre par excellence de la Révolution », Girodet, Girard, Van Loo, Vernet, Boilly, David sont parmi les exposants. La facture est-elle modifiée par l'inspiration révolutionnaire ? La question esthétique ne peut être tranchée. Mais l'artiste se transforme en pédagogue. Il exprime la sensibilité collective d'une société qui veut « patriotiser l'univers ». Il colle à l'événement pour illustrer et populariser la révolution en marche. Des exemples empruntés à David peuvent illustrer cet art révolutionnaire. Le 20 janvier 1793, Le Peletier, conventionnel et régicide, est assassiné. David le représente avec ses vêtements tachés, le poignard fleurdelysé encore sanglant. La facture est à la fois lyrique et réaliste. Le 13 juillet 1793, la mort de Marat soulève l'horreur. Quatre mois plus tard, le 14 octobre, David apporte à la Convention le tableau de la *Mort de Marat* qui y restera en permanence et fera l'objet de milliers de représentation : « Citoyens, le peuple voulait retrouver son ami à travers mon œuvre. David m'a-t-il dit, prends ton pinceau et venge Marat afin que ses ennemis pâlissent encore à la vue de ses traits transfigurés. J'ai recueilli la voix du peuple ». La nature pathétique et dépouillée du tableau a frappé les observateurs. En octobre 1793 :

Marie-Antoinette monte à l'échafaud ; un dessin rapide de David la représente, vêtue simplement, les cheveux défaits, la posture humble. La banalisation de la reine contribue à la banalisation de l'événement. En décembre 1793, Bara meurt. David représente l'enfant héroïque, nu sur le champ. Les formes harmonieuses et graciles traduisent une inspiration grécisante différente des œuvres antérieures. Quatre tableaux inspirés par l'actualité brûlante ; quatre factures différentes et personnalisées ; quatre illustrations destinées à un vaste public : l'art révolutionnaire se dégage dans ses caractères essentiels.

Sur deux mille pièces de théâtre retrouvées pour la période révolutionnaire, cinq cents ont été composées et jouées en l'an II. C'est une période de création artistique intensive, sans préjuger de la réussite esthétique, toujours contestable.

Des artistes engagés

Le ralliement des artistes à la Révolution est massif, en l'an II particulièrement. Il existe des artistes émigrés comme Mme Lebrun ; réservés, comme Greuze, ou opportunistes. Mais « beaucoup de sculpteurs se rallièrent à la Révolution » (Hautecœur), de même que les peintres et les comédiens. David est élu à la Convention, au Comité de Sûreté Générale, parallèlement à de multiples responsabilités dans les sociétés et commissions artistiques. Parmi les soixantes jurés du Tribunal Révolutionnaire parisien, on trouve les noms des peintres connus : Gérard, J.-L. Prieur, Châtelet, Sambat, Hennequin et Topino-Lebrun. Ce dernier qui suit les grands procès en prenant des notes, participe au jury des arts et fréquente les sociétés populaires. Il déclare : « Républicains, emparons-nous des arts ou plutôt rendons-les à leur dignité première.

Alors seulement ils auront droit à la gratuité publique. Serviles et rampants sous le despotisme, ils obéiront à la toute puissante voix du peuple souverain : ils en prendront l'attitude sublime » (P. Bordes).

Le théâtre a été le premier touché. Des auteurs dramatiques sont députés comme Bouquier et J.-M. Chénier. Beaucoup de comédiens remplissent des responsabilités civiles : juges de paix chargés de mission par le Comité de Salut public, présidents de sociétés populaires. Certains servent aux armées. Dugazon est aide de camp de Santerre, le commandant des sans-culottes. Pompigny, « citoyen soldat », dédie à sa section de l'Indivisibilité une pièce : *l'Epoux républicain*. L'activité créatrice et l'activité révolutionnaire ne font qu'un. Les thèmes des pièces patriotiques de l'an II reflètent les rapports de force, la lutte idéologique et sociale. Il serait aussi vain de nier que nombre d'auteurs et d'acteurs n'ont pas participé au mouvement que mensonger d'oublier que la majorité se mit au service de l'entreprise de la révolution culturelle.

« Aujourd'hui spectacle de par et pour le peuple »

L'artiste devient l'intermédiaire entre le régime où il occupe des responsabilités et le peuple. Comme les savants, les artistes se démultiplient. Ils participent à la conception des fêtes, dessinent les costumes, gravent les assignats, proposent des cartes à jouer... Beaucoup sont en contact avec les sections ou les sociétés populaires de leur quartier, leur dédient des œuvres. Il est prématuré de parler d'« art populaire ». Mais les jacobins assignent aux artistes un rôle important dans l'éducation populaire.

Ce rôle est particulièrement dévolu au théâtre, lieu privilégié des batailles idéologiques, par les dialogues entre l'auteur, les acteurs et le public. Le Conventionnel Delacroix souligne l'influence pédagogique du théâtre révolutionnaire : « Il n'est personne qui en sortant de la représentation de *Brutus* ou de *la Mort de César* ne soit disposé à poignarder le scélérat qui tenterait d'asservir le pays ».

Le théâtre doit donc aller au peuple. Concrètement il s'agit de repenser l'organisation et le prix des représentations. Un premier décret du 2 août 1793 porte sur la représentation de pièces patriotiques trois fois par semaine, dont une gratuite pour le peuple. Le 6 août, *Brutus* est représenté au théâtre de la République « De par et pour le peuple ». Les spectacles commencent alors à 17 h 30 après le travail et se terminent vers 21 h. Le décret est appliqué : le 20 janvier, la Convention distribue cent mille livres aux théâtres parisiens ayant déjà donné quatre représentations au moins « pour et par le peuple ». Le public peut assister aux représentations théâtrales, sans obstacles matériels ou culturels. Les billets sont distribués aux citoyens par les élus municipaux. Dans la province, la situation est identique ; un arrêté pris à Rouen le montre.

Les conditions d'une contribution de l'art révolutionnaire à la « révolution culturelle » sont remplies. Le rôle pédagogique des artistes est défini : « multiplier les gravures et les caricatures qui peuvent réveiller l'esprit public et faire sentir combien sont atroces et ridicules les ennemis de la liberté ou de la République ». Mais il reste une inconnue : l'accueil réservé par le peuple des sans-culottes aux projets ambitieux des dirigeants Montagnards. Sans le relais des organisations populaires, la régénération définie par les intellectuels risque de rester lettre morte. Les décalages culturels demeurent considérables.

Peut-on saisir ce que la révolution culturelle a réellement changé dans l'existence et la mentalité des Français de l'an II ?

Le système décimal de poids et mesures.

VI.   Nouvelles façons de vivre et de penser : la révolution culturelle de l'an II (septembre 1793-juillet 1794)

*« Faisons un feu de joie de nos saints d'bois
Pierre et Laurent. »*
(Pièce de l'an II.)

La déchristianisation de l'an II reste mystérieuse pour certains historiens. Comment un peuple présumé croyant peut-il renoncer en quelques mois à un système de croyances et de valeurs ancré depuis des siècles dans les mentalités collectives ? Comment expliquer la disparition des saints du calendrier républicain et des registres de l'état civil, les fermetures d'églises, les milliers d'abdications ? « Je suis frappé de la facilité avec laquelle le peuple français commençait à perdre en 1794 ses habitudes de culte » (A. Aulard, 1925). Les explications sont hésitantes. Certains optent pour la terreur, la « déchristianisation imposée » ; d'autres insistent sur les résistances réelles au mouvement ; plusieurs démontrent des analogies profondes entre l'ancienne religion et les nouveaux cultes révolutionnaires. Ils dénoncent le caractère superficiel de la déchristianisation. « Les révolutions religieuses opèrent à un rythme autrement long que les révolutions politiques » (Furet et Richet, 1965).

La révolution culturelle de l'an II

Quelques auteurs voient dans ce mouvement la preuve d'un détachement antérieur à l'égard du catholicisme, renforcé par le contexte de l'an II.

Toutes ces explications fondées et en partie justifiées négligent peut-être un facteur essentiel : l'intensité de la mobilisation civique d'une partie du peuple français. Ce dernier est engagé dans un processus de transformation des façons de vivre et de penser, que nous qualifions de « révolution culturelle ». La suppression de la religion est intégrée à une pratique politique : elle ne crée pas de vide ou d'intervalle, puisqu'elle fait place à un système cohérent de valeurs, laïques, morales et idéologiques, dépassant largement le cadre religieux. Les comportements se modifient sous l'influence des institutions nouvelles, sociétés populaires, représentants en mission et moyens de propagation du nouveau système. La régénération s'amorce à tous les niveaux : national, local, familial. Elle témoigne de l'originalité du mouvement de l'an II et de l'ampleur de la participation populaire.

TRANSFORMATIONS NATIONALES

Parmi les transformations nationales, la pédagogie des fêtes et de l'art révolutionnaire trouve moins d'écho dans les populations que l'application du calendrier républicain et d'une politique linguistique originale.

« Il est temps de parler Français dans les lois françaises. »

Un rapport sur la situation de la langue française au début de la Révolution montre que douze millions de Français sur vingt-six ignorent ou comprennent mal le français : « Avec trente patois différents nous sommes encore pour le langage à la Tour de Babel » (Grégoire). Les assemblées révolutionnaires affirment toutes la supériorité du « français, langue de liberté, instrument de l'égalité » sur « les dialectes ou idiomes grossiers » des régions. Elles tentent de diffuser les lois en français : « Il est temps de parler français dans les lois françaises ». Mais elles respectent les parlers régionaux pour éviter l'isolement de la Révolution : des lois et des ouvrages civiques font l'objet de traductions écrites en celte, en flamand, en alsacien. A Strasbourg, par exemple, les sociétés populaires diffusent le « Haus und dorfkalender des alten vaters gerhard » : l'*Almanach du Père Gérard*.

La guerre civile en 1793 favorise l'assimilation de ces parlers « à la contre-révolution ». La méconnaissance du français devient l'obstacle premier à la propagation des valeurs républicaines. Prieur de la Marne, membre du Comité de Salut Public, le souligne pour les Bretons, en novembre 1793 : « Ils parlent un langage aussi éloigné du nôtre que l'allemand et l'anglais. Ils n'ont aucune instruction et sont par là livrés aux prêtres fanatiques... La différence de langage empêche de pouvoir éclairer ». Barère va plus loin le 27 janvier 1794 : il identifie « le féodalisme et la superstition » au bas breton ; l'« émigration » à l'alsacien ; le « fanatisme » au basque.

Les Montagnards définissent les moyens d'une terreur linguistique : « Vous détestez le fédéralisme politique, abjurez celui du langage » (Grégoire) ; « Cassons ces instruments de dommage et d'erreur... Il vaut mieux instruire que faire traduire » (Barère). A partir de janvier 1794 le français devient obligatoire dans tous les actes publics et notariés. Des instituteurs en langue française et des écoles normales sont prévus sous les dix jours dans toutes les régions particulières : Bretagne, Corse, Pays Basque, Roussillon, Lorraine. Une fois le français généralisé, les dialectes seraient préservés.

Les progrès de la pratique du français dans les masses s'expliquent autrement que par la terreur. « Les masses ont appris le français sans l'école dans les appareils d'exercice de la pratique politique. » La connaissance de la langue nationale progresse avec les autres facteurs de l'unité : droit, coutumes, poids et mesures. En août 1793, les unités nouvelles — mètre, gramme — remplacent l'extraordinaire diversité régionale et locale. L'application sera très lente. L'apprentissage se fait surtout dans les sociétés populaires où circulent des alphabets et abécédaires civiques, comme celui de Chemin-Dupontes. Le français s'impose dans les fêtes avec les chants et les serments. Il se diffuse dans les armées où sont brassés un million de soldats sur sept millions d'adultes, de toutes origines.

C'est la participation des populations à la Révolution qui favorise l'unification du langage. Pour les Conventionnels, le recul des patois allait dans le sens des progrès de l'esprit humain : la langue française était dominante dans les élites éclairées européennes à la fin du siècle ; elle était nécessaire au succès des valeurs révolutionnaires. En Alsace et en Flandre, le progrès du français et la mobilisation des populations vont de pair.

« Les bases astronomiques et historiques les plus justes... »

L'adoption du calendrier républicain en octobre 1793 est une réforme qui peut bouleverser l'existence des Français. Elle précède — logiquement — de deux semaines la déchristianisation légale.

Un calendrier révolutionnaire de l'an II.

La décision fut longuement murie. Dès le renversement de la monarchie s'impose l'idée d'une adaptation du calendrier au nouveau régime. Un projet d'*Almanach des honnêtes gens* conserve les mois découpés en décades et remplace les saints par des « honnêtes gens » universels : Moïse, Léonard de Vinci, Descartes près de Bayard, Racine, Voltaire, Brutus, Germanicus... Le Comité d'Instruction publique de la Convention est chargé de l'élaboration de la réforme officielle. Il groupe des mathématiciens, des poètes (Fabre d'Eglantine, considéré comme le vrai fondateur). Le 5 octobre 1793 est adopté le principe du découpage par mois, décades. Mais le projet est ajourné. Il prévoyait de nommer chaque mois par une vertu révolutionnaire — Fraternité, Egalité, Peuple — et chaque jour par un symbole civique. Lundi deviendrait niveau ; mardi = bonnet ; mercredi = cocarde. Le huitième jour serait canon, le neuvième chêne, le dixième repos.

Le 24 octobre 1793, le calendrier définitif « réunit aux bases astronomiques et historiques les plus justes que l'on connut alors les heureuses déductions de la nature et de la vie agricole ». Des milliers d'exemplaires imprimés sont distribués dans tout le territoire, avec pour la première année les équivalences. Ces calendriers sont des œuvres d'art. Gravés par les artistes confirmés, ils résument les acquis de la révolution. On peut y lire par exemple les principes et les devises du moment : « la fraternité ou la mort », les droits de l'homme, la constitution, la loi, une strophe de la Marseillaise. La Liberté en bonnet et pique tient dans sa main l'univers ; l'Egalité et son niveau dominent une Bastille démolie et l'hydre du fanatisme foudroyé. Du faisceau au coq, s'imposent les signes révolutionnaires ; les portraits des martyrs en médaillons encadrent le calendrier.

Le découpage des mois et des jours rompt totalement avec

« l'ère vulgaire » des dix-huit siècles précédents. L'an I, déjà écoulé, débute le jour de la proclamation de la République, le 22 septembre 1792. Une coïncidence exceptionnelle associe ce jour à l'équinoxe d'automne. L'année civile ancienne coupait les saisons : désormais elle correspondra à l'ordre naturel. Les mois inégaux (28-29-30-31 jours) sont remplacés par douze mois de trente jours, regroupés trois à trois pour matérialiser les saisons. L'ancien hiver comprenait les mois romains : janvier = Janus et Mars, ils seront désormais en rapport direct avec le climat : Nivose, Pluviose et Ventose. Le printemps comprend Germinal, Floréal, Prairial... Les cinq jours supplémentaires pour achever la révolution de la terre autour du soleil sont nommés sans-culottides et consacrés aux fêtes nationales du Génie, du Travail, de la Vertu, de l'Opinion et des Récompenses. Tous les quatre ans pour l'année sextile, « nous aurons nos franciades que l'univers adoptera ».

Pour éviter le chevauchement des semaines et des mois, et supprimer le dimanche, les mois sont divisés en trois décades. Les jours sont baptisés selon leur place dans la décade, lundi est remplacé par primidi, mardi par duodi... On conserve des noms latins, mais plus rationnels. Des horloges républicaines à double cadran emploient le système décimal : « A midi il est cinq heures »...

Avec la disparition du calendrier grégorien est bouleversée une tradition millénaire et l'organisation des travaux et des jours. Des sceptiques critiquent la complexité du projet, l'ampleur de tels changements pour le peuple des campagnes. Ils prédisent l'échec du projet. Ils ont tort. Une année suffit pour imposer le calendrier révolutionnaire dans les pièces administratives, sans erreurs. Au bout d'un an, on supprime les correspondances avec le calendrier ancien qui n'est plus mentionné à partir de l'an III. Il est alors tombé en désuétude et le rappel des mois « vulgaires » devient presque ridicule. Le nouveau calendrier, plus clair, plus rigoureux, est plus proche des préoccupations quotidiennes que l'ancien, malgré la signification attachée à certains de ses saints, de ses fêtes. L'explication constante des autorités et des sociétés populaires permet, avec la diffusion de cahiers pédagogiques, l'assimilation rapide du nouveau décompte du temps.

D'autres critiques portent sur l'organisation du travail et la qualité esthétique. Avec les décades, le nombre des jours de repos dans l'année diminue de cinquante-deux à quarante et un. Les travailleurs doivent désormais accomplir neuf journées d'affilée au lieu de six. Il faudrait étudier l'application du calendrier dans les ateliers et les manufactures pour connaître l'incidence de l'augmentation du temps de travail et l'ampleur des réactions.

Au début, la Convention n'impose le repos du décadi qu'aux seuls fonctionnaires, puis la pratique se généralise avec plus ou moins de succès. Les paysans sont moins gênés que les autres car le calendrier est fondé sur le travail et les productions de la terre. Deux cent quatre-vingt-huit jours reçoivent les noms des plantes, des fleurs, des récoltes correspondant à la saison. En fructidor, par exemple, millet, pastèque, houblon, sorgho, maïs. Trente-six jours — demi-décadis — font références aux animaux domestiques. Les trente-six décadis portent sur les instruments aratoires, adaptés aux travaux de l'époque : cuve, pressoir, charrue, herse, pioche, fléau. On peut s'étonner de l'absence de références au travail des sans-culottes urbains. Mais la nation compte dix-huit millions de paysans sur vingt-huit. L'organisation du calendrier permet insensiblement « une étude élémentaire de l'économie rurale, avec les noms de ses vrais trésors, au jour précis où la nature nous en fait présent ». Ainsi sont conciliées les exigences de la science — astronomie et mathématique — de l'idéologie de la nature — outils, faune et flore — de la raison et de la poésie.

Les saints sont expulsés au profit des plantes. Le laurier-thym chasse saint Jacques, l'endive saint Charles Borromée. L'ardoise remplace Basile, le lapin Odilon, l'olive Marius, le taureau saint François de Sales, le peuplier saint François d'Aquin, la mousse sainte Agnès, le myrte sainte Radegonde. La nature défie la religion. Le lecteur reste seul juge de la réussite poétique. Les contemporains soulignent l'harmonie des noms de mois. Chaque saison garde une tonalité propre à partir de l'alliance du climat, des sons, des rimes, bientôt de l'art, avec des allégories de mois peintes et sculptées, des poèmes et les chansons qui tentent de restituer leur atmosphère : *Ventose*, peint par Lafitte.

Le calendrier révolutionnaire adopté par une génération de Français restera en vigueur pendant douze ans. Les « quarante-huitards » dateront la révolution de l'an 56, de même que les Communards : l'an 79, de la République. Il est mentionné pendant la Résistance et en 1968. Conçu par des savants et des écrivains bourgeois, il répondait partiellement à la sensibilité populaire. Pour cette raison, il fut tout sauf un phénomène superficiel.

« *La fête du 14 juillet est la fête du peuple...* »

L'écho populaire des fêtes nationales est plus délicat à dégager. La mobilisation dépend de la nature de la commémoration, qui peut faire de la fête un événement politique en lui-même. Célébrées en même temps dans les quarante mille communes, elles s'adaptent souvent au modèle parisien, qui monopolise l'attention des contemporains.

Les fêtes parisiennes se ressemblent : mise en scène = David, paroles des hymnes = M. J. Chénier, musique = Gossec. Elles diffèrent par le thème, les moyens, la signification.

De ces grandes fêtes, la plus coûteuse est certainement celle de l'Unité et de l'Indivisibilité, le 10 août 1793. La Convention lui consacre un million deux cent mille livres, en sollicitant largement les architectes et les sculpteurs. Le cortège « immense » accomplit cinq stations au cours du défilé entre des maisons décorées de feuilles de chêne.

1re station : rassemblement à la Bastille devant une fontaine de la Régénération.

2e station : boulevard Poissonnière. Un arc de triomphe monumental représente les héroïnes des 5-6 octobre 1789 avec leurs canons et leurs couronnes de laurier.

3e station : place de la Révolution (Nation). Une imposante statue de la Liberté avec pique et bonnet contemple l'incendie des signes monarchiques et féodaux ; des milliers d'oiseaux sont lâchés.

4e station : les Invalides. Une statue colossale du peuple français avec gourdin et faisceau terrasse l'hydre aristocratique.

5e station : le Champ de Mars. Une colonne monumentale et un autel de la patrie se dressent ; les quatre-vingt-six délégués départementaux convergent dans le faisceau de l'unité. Deux cent mille personnes prononcent le serment « Liberté, Egalité, Fraternité ou la mort ». Après un banquet « frugal et fraternel » sur l'herbe, la fête se termine par une représentation simulée de la prise de Lille par les Français, avec le bombardement d'une forteresse sur les bords de la Seine.

La plus populaire et la plus improvisée est celle de la Raison, le 10 novembre 1793. En pleine déchristianisation, Notre-Dame est transformée en temple de la Raison. Les artistes de l'Opéra mettent en scène la fête ; Mlle Maillard fait un triomphe dans le costume de la déesse Raison, avant la farandole des artistes et du peuple. Les avis divergent. Mercier y voit « une saturnale impie, une orgie ».

Une critique de la fête de la Raison à Paris

« Ce que c'est qu'un peuple subitement licencié du joug politique et religieux ; il n'est plus peuple : c'est une populace effrenée dansant devant le sanctuaire en hurlant la Carmagnole et des danseurs (je n'exagère pas) presque déculottés, le col et la poitrine nue, les bras ravalés, imitant par de rapides tournoiements ces tourbillons avant-coureurs des tempêtes qui portent partout les ravages et la terreur. Au-dessus du chœur on avait dressé des tables surchargées de bouteilles, de saucissons, d'andouilles, de pâtés et d'autres viandes. Sur les autels des chapelles latérales, on sacrifiait tout à la fois à la luxure et à la gourmandise. »

S. Mercier

Les journaux font état d'une « joie franche » dans les normes morales de l'époque, où les seules victimes sont les crucifix, ciboires, chasubles et calices...

La plus guerrière évoque la reprise de Toulon, le 25 décembre 1793, l'ancien Noël : quatorze chars, quarante-huit canons, des trompettes et des tambours défilent.

La plus solennelle est célébrée le 7 juin 1794. C'est l'apothéose de l'Etre Suprême et de Robespierre. Des milliers d'affiches la popularisent ; des centaines de gravures la fixent

L'apogée des Montagnards : la Fête de l'Etre suprême.

pour la postérité. Le monstre de l'Athéisme brûle au Jardin National. Au terme d'une marche épuisante, suivie peut-être par deux cent mille personnes, les Conventionnels costumés, portant des fruits, des épis et des roses, escaladent une gigantesque montagne. Robespierre seul, près d'un arbre de la liberté, prononce un discours « énergique ».

La plus discrète est celle du 14 juillet 1794 (messidor, an II), deux semaines avant l'exécution des Montagnards. « La fête du 14 juillet est la fête du peuple ; le temps n'a pas permis de dessiner avec quelque étendue, de faire exécuter avec quelque succès la pompe d'un spectacle qui rappelle au peuple son triomphe » : signé Payan, vu et approuvé : cinq membres du Comité de Salut public sur douze.

Ces fêtes grandioses par leur mise en scène, minutieusement réglées connaissent une importante participation. Elles sont pourtant moins populaires que de nombreuses fêtes locales, spontanées.

Art révolutionnaire, art populaire ?

Il ne suffit pas de destiner les œuvres d'art au « peuple » pour créer un art populaire. Le rapprochement souhaité de l'élite et du peuple varie selon les genres artistiques.

La démocratisation de la création ne concerne pas directement les couches populaires qui restent exclues de la production. Par contre, elles ont accès aux œuvres en l'an II. Le jury des arts compte parmi ses membres un artisan, ce qui choque profondément des esthètes qui se moquent des « ânes au salon ». L'ouverture des musées et l'engagement des artistes réduisent l'écart avec les sans-culottes. Les représentations de l'art se multiplient dans les sociétés populaires : bustes, estampes, musique.

Le peuple est souvent le héros collectif de l'artiste. Au concours d'architecture ouvert en 1793 figure un projet d'arènes couvertes pour trois cent cinquante mille personnes. En sculpture, le premier prix est remporté par Michalon pour une statue du Peuple terrassant le trône et l'autel. En peinture, Hennequin, membre de la Commune, expose un « Triomphe du Peuple français » et Gérard, du Tribunal révolutionnaire, un « Peuple roi ».

Des décalages subsistent cependant par rapport à la sensibilité populaire. Les références à l'antiquité sont étrangères à la culture des sans-culottes, malgré la vulgarisation de figures comme Mucius Scaevola par la propagande civique. Seul Brutus échappe à la règle. Les symboles maçonniques sont-ils compris des artisans, des ouvriers ou des journaliers des campagnes ? On peut en douter. La profusion des allégories figurées de principes abstraits surprend : L'Egalité, la Liberté, la Raison, les mois du calendrier sont peints, sculptés. Est-ce un moyen de familiariser le public populaire avec ces abstractions ?

Il est délicat de parler d'arts populaires en l'an II, dans les cas de l'architecture et en partie de la peinture.

Les architectes développent une activité intense avec deux cents projets pour le concours de l'an II. Ceux qui condamneront l'an II sous l'Empire, comme Quatremère, Percier et Fontaine siègent dans les commissions, obtiennent des prix. Durand reçoit à lui seul trente mille livres pour sept séries de projets dans le même Salon : un temple de l'Egalité, un local d'assemblée primaire, des temples décadaires, des maisons communes des justices de paix, des bains publics, des fontaines. Mais il reste peu d'ouvrages de l'époque révolutionnaire en dehors des théâtres, d'une partie de l'Institut. La plupart des édifices devaient servir aux fêtes : arcs de triomphe, monuments funéraires, temples, autels, avec un caractère provisoire.

L'architecte de la Révolution poursuit l'évolution des années 1780 vers une plus grande géométrie des formes, un recul de la « bizarrerie ». Il tente d'allier la grandeur à la simplicité et à la vertu. « L'architecture doit se régénérer par la géométrie ». D'où la multiplication d'espaces sphériques ou coniques, avec en leur centre un foyer de diffusion des lumières, l'œil ou le soleil. Les « murs doivent parler » mais à qui ? L'abstraction l'emporte dans la plupart des édifices projetés,

moins révolutionnaires à tout prendre, que les cités utopiques de Boullée et Ledoux dix ans auparavant. Les écoles ou les hôpitaux manquent dans les cartons de l'an II. Plus l'ambition de construire pour le peuple s'affirme, moins il est associé à l'élaboration des projets.

L'inspiration des peintres est modifiée par l'influence de la Révolution, mais tardivement, de façon incomplète. Au salon de 1793, les sujets religieux ont pratiquement disparu mais « sont remplacés par des sujets mythologiques ». Jamais on ne vit tant d'Amours et tant de Psyché. L'influence de la révolution se traduit surtout par les tableaux d'histoire héroïque antique, comme une toile de Perrin : *Lacédémonienne s'offrant pour défendre la République, les armes à la main*. Les toiles patriotiques sur le 10 août par Berthaud ou Demachy sont moins nombreuses que les portraits des membres de la Convention, ou ceux de Rousseau. Les sansculottes, minoritaires dans les salles, le sont également sur les toiles. Le salon de l'An II ouvert en juin 1794 montre une plus grande ouverture au public, une progression des peintures consacrées au peuple mais « les artistes peintres sont décidément beaucoup moins républicains que les sculpteurs » (E. Biré).

Des « sculpteurs républicains »

La sculpture, moyen efficace de propagande connaît un essor exceptionnel en l'an II. Au salon de 1793, cent quatre-vingt œuvres sculptées sont exposées. Elles relèvent de deux formes d'inspirations.

La sculpture patriotique et allégorique l'emporte avec *la Liberté accompagnée de l'Union et de l'Egalité* au salon de

1793. Beauvallet, « le plus révolutionnaire des sculpteurs », y réalise une *montagne* en terre cuite. Le concours lancé en juin 1794 propose aux artistes les thèmes suivants : le Peuple détruisant le despotisme, la Nature, la Liberté, la Philosophie, Jean-Jacques Rousseau. Ces œuvres reproduites sont installées dans des places publiques pour l'éducation civique. Les grands sculpteurs sont parallèlement employés pour la décoration du Panthéon, l'ancienne église Sainte-Geneviève, devenu un centre de patriotisme. Moitte y réalise le fronton célèbre : *La Patrie couronnant les vertus civiques et guerrières.* Boichot sculpte le péristyle et un bas-relief : *Les Droits naturels de l'homme en société* ; Chaudet un autre bas-relief : *le dévouement à la Patrie.*

La popularisation des grandes figures révolutionnaires, à la place des grands et des rois abattus, s'impose.

A partir du 27 août 1792, le buste de Brutus est placé dans les bâtiments publics et les sociétés populaires. Il sera diffusé à des milliers d'exemplaires avec des versions différentes de Dardel, de Lemot. En l'an II, les théâtres, les administrations, de nombreuses places publiques le possèdent, à l'exemple de la Convention. Le martyr de la révolution Michel le Peletier est assassiné le 20 janvier ; le 23, son buste figure à la Convention. Deux bustes de Marat se voient au Salon de 1793 juste après l'assassinat de l'Ami du Peuple. Sculpté par Beauvallet, Marat est présent dans les clubs des Amis de la Constitution, dans les sociétés populaires, dans les théâtres, et dans des places de villages. A l'été 1793, Jean-Jacques Rousseau devient familier aux contemporains, avec six bustes de l'auteur du *Contrat social* en marbre, plâtre ou terre cuite réalisés pour le Salon.

Cette diffusion des œuvres des sculpteurs révolutionnaires

dans les milieux populaires est qualifiée de « mouvement extraordinaire dans la sculpture française » (S. Blondel).

Les « *acteurs anonymes de l'histoire* »

L'estampe demeure l'art populaire le plus fécond et le plus mal connu. Considérée comme une branche mineure, elle peut être diffusée dans tous les milieux : « l'art de l'estampe sous la révolution devient le type idéal d'une écriture collective ». Les principaux tableaux sont imités par les graveurs au trait, et imprimés avec des qualités différentes, à tous les prix. *Marat tel qu'il était au moment de sa mort* est une reprise largement répandue du tableau de David, illustrée par Jean-Louis Copia. La série des « Tableaux historiques » gravée chez Didot popularise les grands événements de la Révolution. Dans les estampes modestes on peut apprécier la participation des femmes au travail, aux journées : « Ce qu'une société a été et voulu être, elle le dit sans maquillage de mythe ou de concept au niveau des arts mineurs ». Certains graveurs se spécialisent dans les portraits, d'autres dans l'illustration des almanachs et des calendriers (Debucourt), dans les vignettes et médailles des sociétés populaires (Choffart). Ils fournissent les organisations sans-culottes en Déclarations des droits illustrées et en caricatures. Des peintres s'improvisent graveurs un moment, pour les assignats, les cartes à jouer. « Même si elle paraît coller à l'événement, l'estampe exprime beaucoup mieux que les discours et les décrets les passions profondes des foules, des acteurs anonymes de l'histoire ». Ce fonds inépuisable est le meilleur témoin des transformations des mentalités populaires, particulièrement en l'an II.

La révolution culturelle de l'an II

Sur le plan local, l'existence des populations est modifiée par les changements des noms de lieux, communes, places, rues. Celle des patriotes est influencée par les fêtes particulières et l'extension des spectacles civiques.

Ris ou Brutus, Port Breton ou Rocher de la Sans-culotterie

Les changements des noms de lieux ont débuté dès 1790, mais l'an II les a généralisés. La Constituante avait décrété que « Les villes, bourgs et paroisses auxquels les ci-devant seigneurs ont donné leurs noms de famille sont autorisés à reprendre leurs anciens noms ». Après le 10 août 1792, une deuxième campagne débaptise spontanément les communes aux noms de rois et de nobles, remplacés par la mention géographique. Nogent-le-Roi devient Nogent-la-Haute-Marne. Les comtes ou vicomtes sont expulsés par la République ou le Peuple : Fontenay-le-Comte en Vendée prend le nom de Fontenay-le-Peuple. Ces débaptisations restent limitées.

La révolution culturelle intensifie cette pratique, sous l'influence des sociétés populaires constituées dans l'été ou l'automne 1793. L'attaque contre les principes religieux et la propagande civique favorisent les ruptures avec les noms d'Ancien Régime. La décision, lourde de conséquences, entraîne des modifications pour l'administration, le courrier, les échanges. Elle est précédée d'une consultation des habitants.

Une commune change de nom

« Le maire a dit que le prénom de Valois ne s'accordant pas avec l'esprit libre, républicain, qui règne dans cette commune, il paraissait à propos de substituer ce nom par celui de la Montagne, plus analogue aux circonstances et aux lieux, d'autant que dans cette commune, il y a plusieurs montagnes... Le conseil général a arrêté d'une voix unanime qu'il sera fait une pétition à la Convention nationale, afin que la présente paroisse de Saint-Martin-de-Valois s'appelle à l'avenir Saint-Martin-de-la-Montagne ; que la présente sera imprimée et affichée à la porte de l'église de ladite commune et partout ailleurs où bon sera. »

le 29 brumaire an II
(novembre 1793)

Au total, plus de trois mille communes sur quarante mille changent leur nom. C'est un chiffre considérable, hors de toute obligation officielle de la Convention. Aucun département n'est entièrement touché, même si les cas sont fréquents dans la Nièvre, l'Allier, la Seine-et-Oise, le Puy-de-Dôme, le Jura ; aucun n'est totalement coupé du phénomène.

Si l'on connaît les victimes, les saints et les rois, les trois mille nouveaux noms n'obéissent pas vraiment à une mode, mais des motivations sociales ou idéologiques variables.

Une attitude prudente consiste à supprimer le saint : Sainte-Colombe en Charente-Maritime devient Colombe, Saint-Flour-en-Pompidou dans le Cantal est modifiée en Pompidou. Des villages prennent un qualificatif naturel, fleurant bon l'imagination ou la publicité : le village de Marot se change en Riant Coteau et celui de Saint-Izague en Vin-Bon.

La révolution est présente dans la plupart des noms avec ses principes universels d'abord. Les mots dérivés de Franc se développent : Arpajon transformée en Franc-Val, Long-le-Saulnier et Saint-Denis en Franciade ; mais dans le Loir-et-Cher le village de Françay devient Gaulois (!). Des devises révolutionnaires transforment Versailles en Berceau-de-la-Liberté et Château-Thierry en Egalité-sur-Marne. Des communes ajoutent le terme Peuple au nom traditionnel.

L'an II connaît une campagne plus précise encore sur le plan social. Certaines municipalités adoptent des patrons antiques, comme Ris qui devient Brutus en inaugurant la déchristianisation parisienne, ou le village savoyard des Antiquités. La plupart se réfèrent à l'actualité brûlante. Les Montagnes se répandent : Emilion-la-Montagne, Corbeil-la-Montagne, Villeneuve-la-Montagne pour Villeneuve-Saint-Georges et la Montagne-Bon-Air pour Saint-Germain-en-Laye. Les martyrs de la Liberté les plus cités sont Chalier et Bara mais davantage Le Peletier (La Queue-en-Brie s'appelle La Queue-Le-Peletier) et surtout Marat dont l'assassinat coïncide avec l'accélération du mouvement : Marat-aux-Champs, Montmarat à la place de Montmartre, Soisy-Marat. Les allusions au calendrier républicain sont rares.

Certains noms reflètent nettement l'influence du mouvement sans-culotte sur la vie locale :

Croix-Chapeau (Charente-Maritime) : Pique-Chapeau.

Saint-Bonnet-Elvert (Corrèze) : Liberté-Bonnet-Rouge.

Han-les-Moines (Ardennes) : Han-les-Sans-Culottes.

Panthénon (Nièvre) : Faubourg-des-Sans-Culottes.

Gerville (Manche) : Les Sans-Culottes-de-la-Manche.

Port-Breton (Vendée) : Rocher-de-la-Sans-Culotterie.

Villedieu : La Carmagnole.

Les changements aident à comprendre les relations entre les organisations locales et les valeurs révolutionnaires diffusées par la pédagogie politique, l'art, les symboles. Les communes affirment leur volonté de se régénérer, de transformer le cadre de l'existence de leurs habitants. Ce sont les sociétés populaires et les comités révolutionnaires qui demandent, après octobre 1793, ces modifications radicales. Imaginons de telles débaptisations de nos jours.

Les trente-sept mille communes qui n'ont pas changé leur nom rebaptisent leurs quartiers, leurs rues, leurs enseignes, leurs devises selon les mêmes étapes et modalités. On se restaure dans des auberges « A l'Egalité », « Aux droits de l'homme » : pour trouver la rue des Piques il faut tourner à celle du Bonnet-Rouge. Des milliers de quartiers et de rues portent des noms révolutionnaires, qu'on pense définitifs.

Ce comportement traduit un engagement permanent que l'on retrouve dans les fêtes locales, au hasard des registres de délibérations des municipalités et des sociétés populaires.

« Brutus, nous jurons de suivre ton exemple »...

La multiplication des fêtes de l'an II n'est pas surprenante quand on connaît leur fonction civique. Les communes peuvent en célébrer cinq dans la même année en plus des fêtes officielles et participer à celles des localités voisine. Sont-elles aussi populaires que les registres le mentionnent : « une foule immense... un peuple innombrable ? ». Les fêtes de l'an II diffèrent profondément de 1790 par leurs acteurs, leurs déroulements, leurs valeurs. Deux types de fêtes parfois associées au départ se dégagent.

La plus courante est la fête officielle encadrée et planifiée, sur le modèle parisien. Les convergences des rapports sont telles qu'on peut décrire *la* fête typique, vécue par les populations de l'an II.

Des participants de 1790 ont disparu les nobles, les riches notables, les prêtres (sauf quelques « curés rouges »), les modérés. Les organisateurs et vedettes ne sont plus la municipalité et la garde bourgeoise mais la société populaire et les responsables des « citoyens en armes ». La fête en Arles du 3 octobre 1793 est mise en scène par un maçon, un tailleur, un huissier, un ex-religieux surnommé « le Marat d'Arles ». A Mennecy, la fête déchristianisatrice est organisée par les pauvres de la commune qui tiennent la société populaire, et par le « curé rouge » défroqué. De nombreuses fêtes célèbrent d'ailleurs le travail manuel et la terre. Le peuple participe à leur élaboration en accord avec les responsables jacobins. Il fournit la partie la plus importante des cortèges, dont la fréquentation est une marque élémentaire du civisme. Une attention particulière est apportée à la présence des groupes d'âge avec leurs symboles respectifs ; le chêne pour les pères, les roses pour les mères à Aix. A côté des « vestales », la fête de l'an II connaît la présence des « enfants héroïques », déguisés en spartiates ou armés de sabres, qui ouvrent les cortèges — à Fréjus —, chantent, prêtent serment, défilent en bataillons, servent les vieillards. Derrière, vient le « peuple » en peloton, rangs ou masse.

Toute fête est une marche, longue, entrecoupée de stations significatives. Le rassemblement a lieu à l'aurore. Le cortège organisé selon le plan initial se rend aux principaux monuments civiques : la halle ou le marché, le monument aux martyrs de la patrie, la montagne naturelle ou artificielle, l'autel de la patrie. A chaque halte correspondent des rites. Les fêtes comportent un moment destructeur où l'on brûle les vestiges de la féodalité et de la superstition. Elles déclenchent la communion patriotique par les chants et les serments civiques : « le serment suivant qui sera prononcé par le peuple les bras tendus vers le buste : Brutus, nous jurons de suivre ton exemple, de maintenir la République une et indivisible. Plus de rois, plus d'imposteurs, la liberté pour toujours, la liberté ou la mort ! » (fête de Ris). Elles célèbrent les martyrs de la Patrie. Elles comportent une partie militaire importante, des roulements de tambour, des salves d'artillerie.

Ces longues fêtes donnent la priorité à l'idéologie. La fête-type ne doit pas dégénérer en récréations, distractions futiles. Mais, la fête terminée, « chacun ira prendre place à la table où tous les vrais républicains partageront entre eux leur repas » : un repas fraternel, conforme à la décence et à la frugalité de cette période morale.

« L'autre fête » déchristianisatrice

Pourtant, pendant les six premiers mois de l'an II s'affirme l'autre fête, plus spontanée, burlesque et désordonnée. C'est le temps de la « déchristianisation », de la revanche sur les interdits. « Le culte expire... sous le ridicule » (Morris). Des processions carnavalesques se forment dans les communes, devant la Convention ou les autorités départementales. Les participants se déguisent en animaux déchus : boucs, chèvres, ânes revêtus de mitres ou d'habits sacerdotaux. Ils jouent des pantomimes, costumés parfois en évêques, « revêtus de guenilles papales », frocs, chasubles, surplis, culottes, collets à Draguignan. Ces mascarades accompagnent des charrettes remplies de bénitiers, de ciboires, d'images saintes. Le public fustige ou lapide les mannequins. La fête se termine par un brasier civique où brûlent les confessionnaux à Brignoles, des croix, des lettres de prêtrise, des tableaux à Embrun et Manosque, des effigies des rois étrangers, des titres féodaux. Les farandoles se forment autour du feu de joie ou de l'arbre de la liberté. « Le vent de la dérision ne souffle que six mois » (M. Ozouf). Mais les fêtes iconoclastes ont marqué les contemporains. C'est aux sociétés populaires que revient l'initiative des fêtes les plus libres et les plus remuantes, qui peuvent rejoindre des formes bien antérieures de manifestations populaires, carnavals ou fêtes à Bacchus.

Les débordements de cette autre fête sont-ils compatibles avec l'esprit de la fête officielle ? Il est difficile de répondre. Aucune fête n'est totalement spontanée ou organisée, exclusivement populaire ou jacobine. Les deux coexistent parfois, pendant quelques mois. Des adversaires acharnés de la Révolution ont reconnu leur grandeur. « Je ne suis pas de ceux qui vont applaudir à cette fête, mais... dans son ensemble elle a été belle et imposante » (Biré). Les scènes d'émotion collective des fêtes des martyrs et les mascarades illustrent la nouvelle sensibilité populaire de l'an II.

LE PEUPLE AU THÉÂTRE

Romain Rolland est l'un des premiers à avoir analysé le répertoire théâtral de l'an II. En 1913, sa tentative de créer un théâtre populaire se fonde sur l'exemple du théâtre « pour le peuple » de 1794, illustration réussie à ses yeux d'éducation culturelle et idéologique du peuple.

« Les théâtres sont les écoles primaires des peuples éclairés et un supplément à l'éducation publique » (*Moniteur* du 5 septembre 1793). Peut-on parler de théâtre populaire ? Cer-

tains le regrettent : « la populace de Paris est aux ordres de
ceux qui lui donnent du pain à trois sous et des spectacles gratis » (E. Biré).

« A bas les bonnets ! »

Le public se presse dans certains théâtres. La liberté a favo-
risé la multiplication des salles : plus de quarante à Paris (plus
les salles lyriques), deux à Rouen pour quatre-vingt mille
habitants, une au moins dans toutes les villes moyennes.
Dans les campagnes circulent des troupes itinérantes subven-
tionnées par le Comité d'Instruction publique. A partir
d'août 1793, se développent des séances spéciales pour les
citoyens pauvres, munis de cartes de civisme. En janvier 1794,
quatre-vingts représentations gratuites ont eu lieu à Paris. Des
sections comme celle de la Montagne réclament des séances
pour les indigents. A Arras, Paris et Rouen, des batailles
opposent les citoyens gardant leurs « bonnets rouges » à ceux
qui les font sauter en criant « bonnets ! A bas les bonnets » au
nom de la liberté de vue. Le 4 décembre à Tours, la salle est
évacuée et les bonnets rouges confirmés dans leurs droits.

Le comportement du public se modifie : « Jamais le public
ne fut plus nerveux, plus turbulent, plus tyrannique... » Des
séances commencent par des *Carmagnoles* lancées par des
acteurs et reprises en cœur pour « chauffer » la salle. Les allusions aux contre-révolutionnaires provoquent des huées et des
vociférations. Des tirades civiques déchaînent l'enthousiasme
et les chansons. Les spectateurs envahissent la scène pour danser le final avec les acteurs. C'est l'époque où le Père
Duchesne donne ses « avis aux bons sans-culottes pour qu'ils
aillent s'instruire à la comédie ». La fréquentation du théâtre

n'est plus un privilège de l'élite. Au reste, les loges ont été supprimées (parfois), les noms des théâtres sont révolutionnés — l'Egalité, la République —, les bustes des martyrs contemplent la scène.

Du public ne découle pas forcément un répertoire populaire. On parle souvent de quelques pièces stéréotypées : *Guillaume Tell* et *Caïus Gracchus*, pour déplorer son indigence. C'est oublier qu'aucune époque ne fut plus féconde que l'an II pour la création dramatique : cinq cents pièces dont deux cents traitent directement des questions politiques brûlantes. Les auteurs s'adaptent à la sensibilité du public en transformant leur inspiration.

Les pièces civiques tournent en ridicule « les rois, les grands, les prêtres ». Parmi les succès de l'époque, le *Congrès*

Les pièces à l'affiche en l'an II (le 20 janvier 1794) gratis

> *Opéra National :* Miltiade à Marathon / L'offrande à la liberté / Le siège de Thionville.
> *Feydeau :* La prise de Toulon
> *National :* Manlius Torquatus.
> *Sans-culotte :* la reprise de Toulon.
> *Lyrique des Amis de la Patrie :* Le corps de garde patriotique ; la fête de Port-de-la-Montagne.
> *Cité :* L'amour et la raison ; La folie de Georges ; le Vous et le Tu.
> *Lycée des Arts :* L'école de républicain ; le Devin du village ; Le mariage aux frais de la nation.
> *La Montagne :* La Sainte Omelette.

des rois, les *Crimes de la noblesse*, les *Crimes de la féodalité*, la *Démonseigneurisation*. Un grand succès est interdit le 29 août 1793 : *Paméla* est belle, vertueuse, mais noble. Le 2 septembre, la pièce est rejouée avec une Paméla roturière. Des dizaines de pièces évoquent les succès de la République, la reprise de Toulon et la guerre de Vendée : les *Brigands de Vendée, les Chouans de Vitré, le Salpêtre républicain*.

L'antiquité héroïque et républicaine pénètre lentement les mentalités avec *Mucius Scaevola, Caïus Gracchus, Spartacus, Horatius Coclès, Cassius, Timoléon* (interdit) *Brutus* surtout.

La Sainte omelette

Les œuvres proches des préoccupations populaires sont nombreuses. Au moment de la déchristianisation se multiplient les pièces anticléricales, dont les noms constituent un véritable programme d'action : le *Souper du Pape*, *L'Esprit des prêtres*, *Encore un curé*, *Le Tombeau des imposteurs*, *la Sainte omelette*, jouée le 22 décembre 1793, *La papesse Jeanne*, *l'Inutilité des prêtres*, *La fête de la Raison*...

Le public applaudit la tirade des *Petits Montagnards* de Valcour : « Jésus fut un homme juste mais il ne fut pas Dieu ». Il envahit la scène lors de la première de *La fête de la Raison* de Radet et Desfontaines lorsqu'il entend :

« Faisons un feu de joie
De nos saint d'bois Pierre et Laurent
Portons à la Monnaie
Jacques et Jean qui sont en argent
Pour en faire un bon usage... »

Les mascarades décrites plus haut ont-elles précédé ou suivi de telles représentations ?

La révolution culturelle de l'an II

Le Jugement dernier des rois

Le mouvement et les aspirations des sans-culottes sont abordées sur la scène. Leur morale est présente dans des pièces comme : le *Tu et le Toi*, le *Vous et le Toi*, *Le mariage républicain*, *Plus de bâtards en France*. Ils sont représentés comme des héros positifs, alors que les Jacobins à talents restent dans l'ombre. Le personnage du sans-culotte est souvent stylisé, arrangé, mais c'est lui qui triomphe dans ce théâtre. Le plus grand succès de l'époque est sans doute *Le Jugement dernier des rois* de Sylvain Maréchal, présenté en première le jeudi 17 octobre 1793, au moment de l'exécution de la reine, au théâtre de la République, l'ancien Théâtre français de la rue Richelieu. Un vieillard en bonnet rouge, exilé sur une île volcanique par les rois, voit débarquer seize sans-culottes des pays d'Europe qui ont fait leur révolution. Quinze rois et un « charlatan » — le pape — prisonniers sont engloutis par le volcan égalitaire, après le départ du vieillard et des sans-culottes. L'humour y est direct :

Le roi d'Espagne : Si j'en réchappe, je me fais sans-culotte
Le pape : et moi je prends femme.

Avec de telles pièces « faites pour des yeux républicains » (Hébert) les théâtres sont combles de 18 h à 22 h. *Le Jugement dernier* est lu par des députés, édité à neuf mille exemplaires, dont six mille pour les armées, joué à Lille, Rouen et dans les villages devant près de cent mille spectateurs au total (D. Hamiche).

Théâtre grossier, médiocre, inesthétique, opportuniste ? le procureur de la commune Payan le laisse entendre lorsqu'il condamne « la foule d'auteurs alertes à guetter l'ordre du jour ; ils savent à point nommer quand il faut affubler le bonnet rouge et quand il faut le quitter. » Il s'élève contre

« l'ignorance, la grossièreté, la barbarie, enfin tout ce qu'on peut appeler l'hébertisme en art ». Ce jugement d'avril 1794 est intéressant au moment de la rupture avec le mouvement populaire. Nous nous en tiendrons aux thèmes des pièces et aux réactions du public pour affirmer que l'an II a été l'une des rares périodes de « théâtre populaire engagé » de notre histoire.

TRANSFORMATIONS DE LA FAMILLE

La révolution culturelle touche la cellule de base de la société, la famille. Cette révolution silencieuse, soulignée par G. Lefebvre part de la laïcisation de l'état civil le 21 septembre 1792, « une des mesures les plus profondément révolutionnaires qui ait été décrétée » (Jaurès). Elle concerne directement le peuple, s'il ne l'a pas imposé...

Le 21 septembre 1792, l'enregistrement des naissances, mariages, décès doit obligatoirement se faire dans les municipalités. Leur légitimation par l'église devient facultative. Les prêtres ne peuvent tenir de registres concurrents sous peine de déportation, en août 1793.

« Une fureur du mariage »

Le mariage est désormais un contrat civil. En septembre 1793, il doit être célébré par un officier public en présence de quatre témoins pour être valable ; la publication des bans un jour à l'avance suffit. En l'an II, les démographes constatent une véritable « fureur du mariage ». De deux cent quarante mille mariages en moyenne entre 1789 et 1792, on passe à

Mariage Républicain

trois cent vingt-sept mille en 1793 et trois cent vingt-cinq mille en 1794 pour retomber à deux cent trente mille après. De véritables cérémonies civiques se déroulent, à côté des mariages forcés ou revendiqués de plus de deux mille curés. Ces mariages échappent en partie aux règles religieuses ; on se marie désormais légalement le vendredi et le dimanche. Cette politique entraîne la plus forte natalité enregistrée dans l'histoire du pays : un million cent mille naissances (de futurs « patriotes ») en l'an II.

Le divorce par consentement mutuel

En même temps le divorce devient légal, contre les règles religieuses. Dès septembre 1792, le législateur prévoit trois cas de divorce : 1) l'incompatibilité d'humeur ; au bout de six mois de conciliation, l'ancien conjoint peut se remarier immédiatement, la femme doit attendre dix mois. 2) Les mauvais traitements : abandon de deux ans, absence depuis cinq ans ou sévices, dommages divers. 3) Le consentement mutuel : Les enfants sont confiés à la mère jusqu'à sept ans, au père ensuite. Cette réforme était improbable en 1789, absente des cahiers de doléances et des projets des Lumières. Pour les sansculottes, les législateurs, elle détruit l'hypocrisie de certaines

Loi sur le divorce

Art. 1er : Le mariage se dissout par le divorce.
Art. 2 : Le divorce a lieu par consentement mutuel des époux.
Art. 3 : L'un des époux peut faire prononcer le divorce, sur la simple allégation d'incompatibilité d'humeur ou de caractère.
Art. 4 : Chacun des époux peut également faire prononcer le divorce sur des motifs déterminés :
— démence,
— peine infamante,
— crime ou sévices graves,
— dérèglement,
— abandon pendant deux ans,
— absence pendant cinq ans,
— émigration.
Loi des 20-25 septembre 1792, libéralisée le 28 décembre 1793.

unions illégitimes, alors que d'autres députés y voyaient une « polygamie successive ». L'application porte sur trente mille cas, pour près d'un million et demi de mariages (treize mille sur cinquante-cinq mille à Paris). La réforme n'a pas d'incidence directe sur la natalité, mais elle réduit le contrôle de l'Eglise sur la vie des couples.

Même la mort est laïcisée. En septembre 1793, le représentant Fouché fait afficher dans le cimetière de Nevers « la mort est un sommeil éternel ». L'inscription sera reprise dans de nombreuses villes. La portée d'une telle loi est impossible à évaluer. Mais la déchristianisation a accéléré des ruptures démographiques et mentales profondes dans la famille.

Pierre ou Egalité, Serge ou Brutus, Marie ou Liberté

On saisit ces ruptures dans le mouvement spectaculaire des noms et prénoms révolutionnaires.

Des militants, généraux, membres de l'armée révolutionnaire, « curés rouges », changent leur nom par un baptême civique consacré par la loi. Ce changement est définitif sous peine de prison. Ils adoptent des noms de vertus républicaines ou de martyrs. D'autres adultes prennent de préférence un surnom révolutionnaire, comme « Gracchus » Babeuf. Cette pratique reste marginale par rapport à l'attribution de « prénoms révolutionnaires » aux nouveau-nés...

En compulsant les registres d'état civil des communes, l'historien est frappé par la présence de prénoms singuliers. Des Brutus, des Floréal se glissent parmi les Jean, Pierre, Marie. La pratique est exceptionnelle avant l'an II. La première mention d'un bébé baptisé Pétion est d'août 1792. A

Compiègne et à Melun, c'est janvier 1793, mais les prénoms révolutionnaires restent inférieurs à trois pour cent du total des baptisés jusqu'en septembre.

Après l'été 1793, au moment de la déchristianisation, la surprise se transforme en intérêt. Les intrus se multiplient, l'analyse s'impose. Le décompte pose les problèmes des prénoms ambigus et des prénoms mixtes.

Rose, attribué soixante-quatorze fois sur quatre cent trente prénoms, est-il révolutionnaire ? Non, puisqu'il existait sous l'Ancien Régime. Oui, puisqu'il figure dans le calendrier républicain, que c'est la fleur favorite des Conventionnels et qu'il était rarement employé dans le passé. De même Narcisse ou Hyacinthe...

Pierre-Liberté est un prénom composé, mixte. Faut-il privilégier la prudence du Pierre ou la hardiesse de Liberté ?

En tenant compte de ces incertitudes, la diffusion des prénoms révolutionnaires nous renseigne sur les attitudes des populations. Pour l'an II, leur pourcentage est compris entre vingt-cinq et soixante pour cent de l'ensemble des baptisés dans les régions de fort rayonnement des sociétés populaires et de déchristianisation intense. Dans le district de Versailles on atteint quarante-quatre pour cent ; dans celui de Corbeil, cinquante pour cent.

La condition sociale des parents qui franchissent le pas est intéressante. A Corbeil, on note un tiers de salariés de l'agriculture, journaliers, ouvriers maçons ou terrassiers. A Versailles, la majorité se compose d'artisans cordonniers, serruriers, de commerçants avec une faible représentation des propriétaires et professions libérales.

Les régions de forte résistance à la déchristianisation ou de faible implantation des sociétés populaires ont des pourcentages médiocres, inférieurs à vingt pour cent du total. En Seine-et-Marne, les quatre villes principales sont entre douze et dix-sept pour cent : (cent vingt-cinq à cent quatre-vingt-deux prénoms sur mille cinquante-six naissances en l'an II). La déprêtrisation y a entraîné des troubles graves. Les noyaux actifs des sociétés populaires de Melun, Provins n'ont pas eu d'influence dans les populations, malgré la terreur. Qui sont les parents « révolutionnaires » ? Des administrateurs, des responsables locaux qui marquent leur fidélité au régime ; quelques ouvriers et artisans. De plus, les enfants naturels ont systématiquement un prénom républicain. Dans le pays de Caux, le pourcentage est négligeable, de l'ordre de cinq pour cent pour une région de forte tradition catholique. En fait, il n'y a pas eu de politique officielle en faveur des prénoms révolutionnaires. L'état civil mentionne simplement que tout prénom est définitif sous peine d'amende. La pratique spontanée révèle aussi bien un fort militantisme dans certains cas, qu'un phénomène déchristianisateur superficiel dans d'autres.

On a raillé la naïveté des prénoms et multiplié les références ridicules. On voit à Moulins des Houille Nivose ou des Chiendent Pluviose. Il s'agit d'enfants trouvés auxquels l'administrateur a donné les prénoms du jour et du mois de la déclaration (E. Liris). De tels cas sont exceptionnels ; le choix des parents nous plonge au cœur des valeurs révolutionnaires du moment. On peut évaluer à deux cent mille le nombre de ces prénoms en l'an II, répartis en trois grands thèmes.

— Beaucoup d'enfants porteront des prénoms empruntés au calendrier républicain. Les fleurs dominent, fleurs civiques (Rose, Laurier), antiques (Narcisse), ou réputées pour leur beauté. Les parents négligent les mois froids aux sonorités tristes — pas de Nivôse, peu de Brumaire —. Ils se reportent sur Floréal à Versailles ou Messidor dans les villages briards. La nature riante l'emporte sur les objets utilitaires, les instruments, les légumes.

— Un second thème renvoie aux valeurs et martyrs de la révolution. Les enfants appelés Liberté sont plus nombreux qu'Egalité ; la Montagne plus fréquente que Sans-Culottes. Selon les régions, Marat ou Le Peletier s'imposent, Bara près de Versailles — il est natif de Palaiseau —, Chalier dans le

Les prénoms révolutionnaires
en Seine-et-Marne et à Corbeil (430)

CALENDRIER RÉPUBLICAIN		VALEURS RÉVOLUTIONNAIRES		ANTIQUITÉ
NATURE	MOIS ET JOURS	VERTUS	HÉROS	
Rose 74	Floréal 12	La Montagne 11	Le Pelletier 11	Brutus 27
Narcisse 18	Fructidor 10	Liberté 11	Marat 8	Mucius S. 8
Hyacinthe 12	Messidor 12	La Vertu 8	Ami du Peuple 1	Regulus 2
Laurier 10	Germinal 6	Libre 6	Barra 5	Minerve 2
Flore 6	Thermidor 5	Répubicain 3	Viala 4	Marius 1
Marguerite 5	Decadi 5	Egalité 6	Rousseau 3	Titus 1
Julienne 4	Prairial 3	Unité 5	Jean Jacques 3	Juvenal 1
Pensée 3	Brumaire 2	La Réunion 2	Voltaire 2	Ceres 1
Amaranthe	Nivose 1	Fraternité 2	Franklin 1	Philemon 1
Agricole	Vendémiaire 1	Francval 2	Total 38	Numa Tullus 1
Jasmin 2	Automne 1	Suprême 2	% 8,8	Agricola 1
Héliotrope	Total 58	Loyal 1		Télémaque 1
Romarin	% 13,8	Juste 1	Ensemble 144	Epaminondas 1
La violette	Ensemble 236	L'union 1	% 33,4	Cornelia 1
Violette	% 54,8	Fidèle 1		Cassius 1
Résine		Indivisibi. 1		Total 50
Argile	Myrtille	Vérité 1		% 11,8
Lauréole	Charme	Travail 1		
Véronique	Millet	Eternel 1		
Cumin 1	Roseau	Jemmapes 1		
Grenade	Olive	Victoire 39		
Trèfle	Abricot	Total 106		
Nèfle	Armoise	% 24,6		
Œillet	Colombe...			
La Tulipe	Total 178			
Céleri	% 41			
Réséda				

Midi. Les philosophes suivent avec moins de un pour cent de mentions pour Voltaire et Rousseau.

— L'Antiquité fournit le dernier thème : quarante-quatre pour cent à Versailles, douze pour cent à Corbeil. A côté de Mucius Scaevola, Brutus est plébiscité (neuf Brutus à Melun). Présent sur les places publiques, dans les chants, les serments, les théâtres, Brutus était devenu familier aux gens du peuple. Est-ce le Brutus qui a fondé la République romaine ou celui qui assassina César ? Peu importe.

Pendant des siècles, les parents avaient mécaniquement transcrit, de grands-parents à enfant, les prénoms des saints. Pour la première fois les règles séculaires sont bouleversées. Il n'était pas question de mode ou d'utopie, mais de changer la vie familiale comme on changeait la société : quel n'aurait pas été alors le ridicule de Pierre et de Marie en cas de réussite !

CHANGER LA VIE QUOTIDIENNE

Le cadre de vie change avec les mentalités : le mobilier porte les feuilles de chêne et les symboles du temps : les pendules révolutionnaires sortent des ateliers civiques ; la porcelaine et la faïence ont des devises républicaines à Nevers ; « Aimons-nous comme des frères et ça ira » ; à Auxerre : « Mourir pour le pays est un sort plein d'appâts ».

Echec au tyran

Les jeux de société subissent l'influence de la révolution culturelle. Des jeux de l'oie révolutionnaires circulaient dès 1790. En l'an II, les jeux les plus répandus sont redéfinis.

Nouvelles façons de vivre et de penser

Jeu de cartes révolutionnaire.

La révolution culturelle de l'an II

Un article de la *Gazette*, du 11 novembre 1793, porte sur la « révolutionnarisation » du jeu d'échec. A l'époque, la France était réputée pour ses maîtres : on « poussait les bois » dans les cafés et les espaces publics. La Révolution modifie les pouvoirs du roi et de la reine, le rôle et l'évolution des pièces féodales comme la tour et le fou. La transformation de l'an II est militaire et démocratique. Les pions, autrefois subalternes, deviennent des fusiliers ; les fous se changent en dragons, les tours en canons. La conception et la fabrication des pièces se modifient. La reine se transforme en adjudant. Le roi est maintenant un tyran auquel il faut faire échec. Le mat est remplacé par une victoire résultant du « blocus ». La stratégie n'est pas réellement modifiée. On ignore l'application de cette réforme...

Les rois sont capots

La révolution des cartes à jouer est mieux connue. Dans d'autres périodes, les cartes avaient été adaptées au goût du jour. Dès mars 1792, un jeu présente Théroigne de Méricourt en dame de cœur et Santerre, le chef du faubourg, en valet. Mais les jeux les plus nombreux sont gravés en l'an II par des artistes. L'enjeu est d'importance par la place des cartes dans les loisirs de l'époque. On a recensé vingt fabricants de cartes révolutionnaires et plus de quarante modèles de jeux différents. Certains seront éphémères comme celui de la veuve Mouton, autorisé par le Comité Révolutionnaire de Lille, paru en janvier 1794 et retiré du commerce en Février 1794. D'autres seront créés après un décret de la Convention du 12 octobre 1793, sur la transformation des jeux de société d'Ancien Régime.

J'ai Écarté Les Cœurs,
il a les piques,
Et je Suis Capot.

Différentes sensibilités apparaissent. Les jeux allégoriques de mars 1793 à Paris et février 1794 à Lille remplacent les rois par les génies de la guerre, des arts, du commerce, de la paix, de la marine. Les dames avec la pique et le bonnet rouge deviennent des libertés des cultes, de la presse, des arts, du commerce, des professions, du mariage. Les valets sont des égalités souvent militaires, parfois populaires comme le sans-culotte de l'égalité des rangs, ou l'ancien esclave de l'égalité des couleurs.

D'autres jeux, gravés par huit artistes en novembre 1793 proposent une vision antique :
Rois = sages... Brutus, Caton, Solon et Rousseau
Reines = vertus... Prudence, union, justice, force
Valets = braves... Annibal, Mucius Scaevola, Horace et Decius.
L'un des plus réussis est gravé par Gayant en l'an II à Paris. Il résume la Révolution : les rois sont les philosophes : Voltaire détrône le roi de carreau et Rousseau chasse le roi de trèfle par le Contrat social. Les reines sont devenues vertueuses : la Justice de cœur chevauche un nuage ; la Force terrasse le fédéralisme et ressemble à Minerve ; la Tempérance de carreau et la Prudence de pique portent les couronnes de laurier. Les valets sont désormais des républicains : trois soldats en uniformes entourent le sans-culotte typique, à l'expression énergique avec sa pique et son sabre.

Dans ces cartes révolutionnaires, le roi est capot ; il est remplacé par l'intellectuel. Le sans-culotte est présent ; il incarne la vigilance des organisations populaires.

La modification des façons de vivre et de penser en l'an II correspond bien à une révolution culturelle. Le peuple exerce par ses organisations une partie du pouvoir. La société se transforme par un mouvement égalitaire de rapprochement matériel et culturel des élites et du peuple. L'élite dirigeante définit, en accord avec le peuple militant, les conditions d'une transformation des cultures et des mentalités, par le recours aux ressources de la propagande idéologique. Les fondements sociaux, religieux et moraux de l'Ancien Régime sont remis en cause et détruits. Une culture nouvelle est propagée par un art révolutionnaire, diffusé dans les milieux populaires ; l'existence quotidienne des individus et des familles est transformée par l'influence de la nouvelle idéologie.

L'entreprise est gigantesque et fragile, mais elle n'est pas utopique. Voilà un pays, le plus peuplé, le plus riche d'Europe, au rayonnement culturel et scientifique incomparable qui tente une révolution républicaine contre les rois coalisés. Un compromis entre la bourgeoisie montagnarde et le mouvement sans-culotte permet d'amorcer la régénération du peuple français, puis de l'univers. Cette alliance aux causes complexes a permis la transformation des mentalités d'une partie des populations. Mais peut-être convient-il de parler d'« ébauche » de révolution culturelle car le compromis qui la fondait était menacé à sa naissance.

Le sans-culotte de pique.

ANNÉE	CALENDRIER RÉVOLUTIONNAIRE	DATE	POLITIQUE INTÉRIEURE
1792		11 août	
		12 août	Interdiction de la presse royaliste
		14 août	
		20 septembre	
	An I	21 septembre	Abolition de la Royauté
		décembre	
1793	(Non officialisé dans les dates)	20 janvier	Assassinat de Le Peletier
		21 janvier	Exécution de Louis XVI
		24 janvier	
		12 février	
		25-27 février	
		10 mars	Levée en masse
			Insurrection vendéenne
		18 mars	
		21 mars	
		28 mars	
		4 mai	
		10 mai	
		31 mai	Chute de la Gironde
		2 juin	
		3 juin	
		24 juin	Constitution égalitaire de l'an I
		25 juin	
		4 juillet	
		13 juillet	Assassinat de Marat
		17 juillet	Le *Publiciste* de J. Roux
		26 juillet	
		27 juillet	
		2 août	
		6 août	
		10 août	Fête de l'Unité
		16 août	
		27 août	
		29 août	
		4 septembre	Journées populaires à la Convention

CHAPITRES IV, V, VI

ÉCONOMIE ET SOCIÉTÉ	CULTURE, MENTALITÉS
Brûlement des titres de noblesse	Destruction des statues royales Laïcisation de l'état civil et loi sur le divorce Le bonnet obligatoire aux sections
48 sections réclament la taxation Taxation populaire : sucre et savon Peine de mort pour incitation à la loi agraire Création des comités de surveillance Emigrés bannis : vente de leurs biens 1er maximum départemental des grains Création du Club des Citoyennes Républicaines Révolutionnaires Journées populaires Vente des biens nationaux par petits lots Droit à l'assistance Manifeste des Enragés Enfants trouvés, enfants de la Patrie Abolition définitive de la féodalité 2e maximum des grains et farines Le club des citoyennes célèbre Marat Jacques Roux arrêté	Fête funèbre pour Le Peletier Destruction de tout signe de royauté Protection des Tuileries Les prêtres ne peuvent enregistrer les actes Censure théâtrale Théâtre de par et pour le peuple Représentation de *Brutus* mise en scène par David Le Louvre musée Interdiction de *Paméla* Le buste de Brutus aux sociétés populaires

		5 septembre	
		9 septembre	Création de l'Armée révolutionnaire
		18 septembre	
		21 septembre	
An II		29 septembre	
		5 octobre	
23	Vendemiaire	14 octobre	
25	Vendemiaire	16 octobre	Exécution de Marie-Antoinette
26	Vendemiaire	17 octobre	
3	Brumaire	24 octobre	
10	Brumaire	30 octobre	
11	Brumaire	1er novembre	
12	Brumaire	2 novembre	
16	Brumaire	6 novembre	Les communes peuvent arrêter le culte
17	Brumaire	7 novembre	Le bonnet repoussé à la Convention
18	Brumaire	8 novembre	
20	Brumaire	10 novembre	
21	Brumaire	11 novembre	
1er	Frimaire	21 novembre	
6	Frimaire	26 novembre	
11	Frimaire	1er décembre	
14	Frimaire	4 décembre	Décret sur le Gouvernement révolutionnaire
16	Frimaire	6 décembre	
17	Frimaire	7 décembre	Mort de Bara
28	Frimaire	18 décembre	
29	Frimaire	19 décembre	
2	Nivose	22 décembre	
5	Nivose	25 décembre	
8	Nivose	28 décembre	
11	Nivose	31 décembre	
16	Pluviose	4 février	
22	Pluviose	10 février	Mort de Jacques Roux
8	Ventose	26 février	
4	Germinal	24 mars	Exécutions des Cordeliers
7	Germinal	27 mars	
16	Germinal	5 avril	Exécution des Indulgents
27	Germinal	16 avril	
18	Floréal	7 mai	
20	Prairial	8 juin	Fête de l'Etre suprême
27	Messidor	14 juillet	
4	Thermidor	22 juillet	
9	Thermidor	27 juillet	Arrestation des Robespierristes
10	Thermidor	28 juillet	Exécution des Robespierristes

Début des sociétés populaires. Livraison des titres nobles obligatoires La question de la prostitution	Loi sur le mariage
La cocarde obligatoire pour les femmes Les femmes votent dans des sociétés populaires Maximum national des denrées	« La mort est un sommeil éternel »
Comités à 5 livres par jour	Adoption du calendrier républicain *Marat assassiné* par David *Marie Antoinette* par David *Le jugement dernier des rois* (Première)
Affaire des bonnets pour les femmes Interdiction des clubs féminins Le tutoiement obligatoire à la Commune Les enfants naturels égaux aux autres Peine de mort contre les agioteurs Le bonnet obligatoire à la Commune	Adoption du calendrier républicain Fermetures d'églises, abdications
	Création du Museum des Arts Fête de la Raison Les échecs « révolutionnés »
Démolition des châteaux forts	Robespierre contre l'athéisme Danton contre les mascarades
Projet de démonétisation de l'or Fin de l'autonomie des sections	Décret sur l'instruction, les fêtes
	Décret sur la liberté des cultes
	Création des musées par départements Loi sur l'école primaire (Bouquier) *La sainte omelette* Fête de la reprise de Toulon Libéralisation du divorce
Arrestation de Babeuf	
Abolition de l'esclavage	
Décrets de Ventose Epuration des sociétés populaires Fin de l'Armée révolutionnaire	Respect des châteaux non féodaux
Arrestation de C. Lacombe et P. Léon	
	Rapport de Robespierre sur les fêtes Fête de l'Etre Suprême *Le chant du départ*, Mehul, Chenier
Maximum des salaires	

Mascarade déchristianisatrice :
« le culte expire sous le ridicule ».

VII. L'échec de la Révolution culturelle (mars 1794-mai 1795)

« La femme est faite pour céder à l'homme
et pour supporter même son injustice »
(J.-J. Rousseau.)

La révolution culturelle de l'an II doit son originalité à l'alliance scellée en mai 1793 entre la bourgeoisie montagnarde et les organisations populaires de base. Ce « double pouvoir », caractéristique de révolutions ultérieures, était nécessairement provisoire. Les partenaires divergent profondément par leurs conceptions du pouvoir politique, de l'organisation de l'économie, de la culture. L'unité proclamée masque des luttes sourdes et implacables dès le début. Le Comité de Salut Public parvient par étapes à désamorcer un mouvement populaire qui menace de le déborder : il liquide les Enragés en septembre 1793, brise le mouvement militant féminin en octobre, freine la déchristianisation en novembre-décembre, détruit l'autonomie des institutions populaires en mars-avril 1794. Il se condamne par son triomphe, en perdant la base sociale nécessaire à son maintien au pouvoir. En juillet 1794, la chute du pouvoir jacobin intervient alors que la révolution culturelle est en plein reflux. Un an après, il n'en est plus question, après la disparition définitive des sans-culottes.

Les Montagnards commencent par attaquer le point le plus faible du mouvement populaire : les clubs féminins. Le 16 août 1793, les Citoyennes Républicaines Révolutionnaires président la fête sectionnaire en l'honneur de Marat. Le 30 octobre, la Convention interdit *tous* les clubs et société populaires de femmes.

Le prétexte en est l'opposition d'autres femmes aux militantes Révolutionnaires. Après l'obligation de la cocarde, celles-ci veulent imposer à toutes les citoyennes le bonnet rouge. Au début d'octobre, des délégations hostiles de la section des Hommes du 10 août et des femmes de la Société Fraternelle des deux sexes demandent la dissolution du club de Claire Lacombe au nom de la liberté du costume. La tension dégénère en véritable rixe le 28 octobre. Les « dames de la Halle », commerçantes modérées, agressent les Républicaines, traînent dans la boue et fouettent la présidente. Le 29 octobre, elles demandent de plus la suppression du club. Sur le rapport d'un membre du Comité de sûreté générale, Amar, le décret suivant est voté, le lendemain :

« Art. 1 : Les clubs et les sociétés populaires de femmes sous quelque dénomination que ce soit sont défendus.

Art. 2 : Toutes les séances des sociétés populaires doivent être publiques. »

La vraie raison réside dans l'importance croissante prise par les Citoyennes Républicaines, six mois après la création du club. Non contentes de réclamer et d'appliquer la taxation des subsistances, elles veulent élargir leurs attributions au contrôle des prisonniers. Surtout elles contestent l'autorité et la représentativité des dirigeants montagnards, au nom de leur conception du pouvoir populaire. Le 16 septembre 1793, lors d'une séance des Jacobins suivie de l'arrestation de Claire Lacombe, Chabot présente la question avec clarté : « C'est parce que j'aime les femmes que je ne veux pas qu'elles fassent corps à part, et qu'elles calomnient la vertu même. Elles ont osé attaquer Robespierre, l'appeler Monsieur Robespierre ! ». Les Républicaines menacent directement la direction montagnarde.

Le 30 octobre 1793, s'achève le mouvement féministe. Une semaine après, les Républicaines tentent de protester contre la décision. Elles sont huées par les Conventionnels, et ridiculisées pour leur tenue « en pantalons, en bonnet et armées de pistolets ». Les 16 et 17 novembre, la Commune et le Conseil Général de Paris décident de ne plus recevoir de délégations féminines. Un mois plus tard, les femmes sont exclues de la Société républicaine des artistes. Tour à tour, les sociétés fraternelles s'épurent en réduisant la participation féminine. Seule la Société du Panthéon français continue en janvier à laisser les femmes voter, contrôler les admissions et diriger les députations. En avril 1794, Claire Lacombe et Pauline Léon sont arrêtées pour plusieurs mois. Les femmes sont rentrées dans le rang.

« L'homme paraît seul propre aux méditations profondes et sérieuses » (Amar)

L'échec tient aux faiblesses du mouvement. Il ne pouvait exister de féminisme généralisé car les femmes se rangeaient derrière les positions politiques des différentes factions, Enragés ou Montagnards. L'absence de conscience d'appartenance à une catégorie particulière conduit aux rivalités et aux affrontements entre organisations féminines, Dames de la Halle et

Société Fraternelle contre Citoyennes Républicaines Révolutionnaires. La majorité restait hors du champ politique, par ignorance ou conviction. Le militantisme reste une pratique minoritaire.

S'il s'est développé au sein du mouvement populaire, il ne bénéficie pas des solidarités escomptées. Les Enragés les défendent, tel Jacques Roux, mais du fond de la prison où il a été jeté le 5 septembre : « Mais que la société des citoyennes révolutionnaires qui a rendu tant de services à la liberté ait été dénoncée au sein des Jacobins, par des hommes qui ont eu mille fois recours à leur courage et à leur vertu... C'est le cas de dire que les crimes des hommes d'Etat triomphent de la justice et de la vertu ». (n° 267 du *Publiciste*). La plupart des sans-culottes partagent en réalité les préjugés et les réserves des jacobins à l'égard de la participation des femmes aux affaires publiques.

L'explication réelle est dans la place sociale que les Lumières et les Montagnards — à la suite de Rousseau — assignent aux femmes. La convergence des déclarations est remarquable.

Tant qu'elles demeurent dans les limites assignées par la nature, les femmes sont idéalisées et positives.

Les vestales des fêtes symbolisent la vertu et la fidélité ; les déesses allégoriques, la grâce et la beauté. Les épouses doivent régner dans leur ménage, diriger l'éducation des enfants en bas âge, comme des auxiliaires indispensables et subalternes des hommes. Elles peuvent jouer un rôle civique : « broder des ceinturons et bonnets de police », faire des charpies, soigner. Mais elles doivent en rester là, pour des raisons biologiques contraignantes. Le discours d'Amar pour interdire les clubs l'établit formellement. Lorsqu'il dérape de l'infériorité biologique à l'infériorité morale, et du moral à l'incapacité

L'échec de la révolution culturelle

Rôles des femmes, des Lumières à la Révolution

— Rousseau : « J'aimerais mieux cent fois une fille simple et grossièrement élevée qu'une fille savante et bel esprit qui viendrait établir dans ma maison un tribunal de littérature dont elle serait la présidente. »

« La femme est faite spécialement pour plaire à l'homme. Toute l'éducation des femmes doit être relative à l'homme. »

« La femme est faite pour céder à l'homme et pour supporter même son injustice. »

« Il est dans l'ordre de la nature que la femme obéisse à l'homme. »

— Rétif : « Une femme qui ne plaît pas est un être nul, au-dessous de tous les autres. »

— Saint-Just : « Un être faible dominé par sa sensibilité. »

— Chaumette : « Depuis quand est-il permis aux femmes d'abjurer leur sexe, de se faire des hommes ? Depuis quand est-il décent de voir des femmes abandonner les soins pieux de leur ménage, le berceau de leurs enfants, pour venir sur la place publique, dans la tribune aux harangues, à la barre du Sénat, dans les files de nos armées, remplir des devoirs que la nature a départis aux hommes seuls ?

Séance de la Commune du 28 brumaire, décembre 1794.

politique des femmes, il exprime une ségrégation banale pour l'époque, applaudie par les Conventionnels.

D'après ces postulats, les femmes ne doivent pas combattre aux armées : Fabre d'Eglantine craint que leurs pistolets ne partent tout seuls. Mais elles sont aussi incapables d'étudier ou de faire de la politique, par nature. Lorsqu'elles le font, elles transgressent ou inversent les valeurs sociales, établies par les hommes. « Femmes impudentes qui voulez devenir des hommes... au nom de cette même nature restez ce que vous êtes » (Fabre). « Femmes, voulez-vous être républicaines : ne suivez jamais les assemblées populaires avec le désir d'y parler. »

L'incapacité politique des femmes, selon Amar

— *Qualités de l'homme.*

L'homme est fort, robuste, né avec une grande énergie, de l'audace et du courage. Il brave les périls, l'intempérie des saisons par sa constitution : il résiste à tous les éléments. Il est propre aux arts, aux travaux pénibles et comme il est presqu'exclusivement destiné à l'agriculture, au commerce, à la navigation, aux voyages, à la guerre, à tout ce qui exige de la force, de l'intelligence, de la capacité, de même il paraît seul propre aux méditations profondes et sérieuses qui exigent une grande contention d'esprit et de longues études qu'il n'est pas donné aux femmes de suivre.

— *Défauts de la femme.*

En général, les femmes sont peu capables de conceptions hautes et de méditations sérieuses... des personnes plus exposées à l'erreur et à une exaltation qui serait funeste dans les affaires publiques... la vivacité des passions, l'égarement et le désordre.

Discours d'Amar à la Convention,
brumaire an II, 30 octobre 1793

La discrimination doit être totale. Les Jacobins accusent les militantes d'immoralisme, les opposent aux « mères de famille, filles, sœurs » qui ne vont pas aux clubs. De Chaumette à Saint-Just, ils sont unanimes à affirmer le danger de la politisation des femmes. A partir des exemples de Marie-Antoinette, de Mme Roland ou de Charlotte Corday, ils généralisent sur la perversité, la fatalité des militantes « aventurières, chevaliers errants, filles émancipées, grenadiers femelles » (Fabre).

Le mouvement de l'an II a donné une tribune aux féministes des organisations populaires. L'échec de la cause des femmes est inscrit dans les préjugés et les mentalités de l'époque. C'est la première étape d'un conflit plus vaste entre Montagnards et sans-culottes.

L'ÉCHEC DE LA DÉCHRISTIANISATION POPULAIRE

L'affrontement décisif, la « crise suprême » (Tridon), s'affirme dans la déchristianisation déclenchée en novembre 1793.

La fermeture des églises et le renvoi des prêtres s'inscrivent dans la pratique des organisations populaires. Ce sont les sociétés populaires qui prennent les initiatives décisives, réquisitionnent les églises, expédient les dépôts à la Convention, comme à Ris dont la délégation entraîne le décret légal. Ce sont les comités révolutionnaires qui reçoivent les abdications, brûlent les lettres de prêtrise. Ce sont les détachements de l'Armée révolutionnaire qui aident les militants locaux à détruire les « restes du fanatisme », ou à organiser les mascarades antireligieuses. Ce sont les « curés rouges » intégrés aux organisations populaires qui précèdent ou célèbrent le mouve-

L'Etre suprême.

ment. Les historiens des mouvements populaires ont constaté cette poussée autonome, à l'apogée du pouvoir des sans-culottes.

La déchristianisation correspond à leurs sentiments profonds. En finir avec le fanatisme, c'est lutter contre « l'aristocratie sacerdotale » et les prêtres contre-révolutionnaires ; c'est être patriote par la réquisition civique des biens d'églises ; c'est résoudre la question des subsistances en liant, comme le fait l'Armée révolutionnaire, les aspects matériels et moraux de la régénération par la destruction de la religion ; c'est liquider définitivement les racines de l'ancien régime par l'iconoclasme.

Les fêtes et mascarades déchristianisatrices revêtent des formes populaires évidentes, quand leurs acteurs brûlent spontanément tout ce qui touche au culte, en opposition avec les fêtes jacobines.

« Le torrent révolutionnaire débordait de toute part »

L'affaire devient cruciale quand le mouvement populaire déborde des revendications habituelles sur les subsistances pour s'exprimer sur le plan culturel. Le phénomène se propage à une rapidité incroyable. En deux semaines (du 6 au 20 novembre) des milliers d'églises sont fermées et des milliers de prêtres ont déjà abdiqué. Les Conventionnels parlent de « torrent » (Robespierre et Danton), « d'irruption volcanique » (Forestier). Les Jacobins sont débordés quelques jours par l'afflux de délégations de la banlieue ou de la province, venues témoigner de leurs actes déchristianisateurs. La Convention assiste, abasourdie, aux « mascarades » des sans-culottes : « le torrent révolutionnaire débordait de toute part et renversait jusqu'aux digues salutaires que nous eussions voulu opposer à ses ravages » (Levasseur).

La classe politique laisse pendant quinze jours s'accomplir l'irréparable aux yeux de certains. Les Montagnards sont hostiles au catholicisme mais s'opposent au mouvement populaire. Ils déplorent le vandalisme spontané et sauvage. Ils n'acceptent pas l'athéisme virulent de certaines cérémonies qui risquent d'éteindre dans les populations toute croyance en un Etre Suprême. Des porte-parole populaires contestent en effet l'Evangile et Jésus, contrairement à ceux qui les préservent, en les détachant de la religion traditionnelle. Babeuf prépare ainsi une histoire nouvelle de la vie de Jésus-Christ où il théorise le mouvement populaire en l'opposant à la bourgeoisie jacobine, à Robespierre et à Hébert.

De telles positions sont insupportables aux Montagnards. Ils estiment politique de laisser la liberté de culte pour éviter de donner aux prêtres persécutés l'auréole de martyrs.

L'Évangile et Jésus-Christ selon Babeuf

L'Evangile : « pitoyable fatras de relations puériles et extravagantes ».

Jésus : « Je viens après mille ans démasquer ce dieu-roi, j'attaque sans quartier la personne même de l'idole en chef, que jusque-là nos philosophes paraissent encore révérer et craindre... Jésus n'était ni plus qu'un homme, ni sans-culotte, ni franc jacobin, ni sage, ni moraliste, ni législateur... Meure le fanatisme, meure la superstition. »

Projet d'ouvrage (décembre 1793)

Un coup d'arrêt au mouvement populaire

> « L'offensive gouvernementale contre la déchristianisation avait déconcerté les militants sans-culottes et brisé l'élan populaire. »
>
> Albert Soboul, 1958

> « La révolution interrompit sa marche en avant, non pas le 9 thermidor, mais le soir du 1er frimaire (21 novembre 1793) quand Robespierre du haut de la tribune des jacobins déclare la guerre aux déchristianisateurs. »
>
> Daniel Guérin, 1946

Au bout de quinze jours se joue le sort de la révolution. Le 21 novembre, Robespierre s'élève contre les nouveaux « fanatiques » qui veulent interdire la religion. Il est le premier à poser la barrière. Mais il est suivi par tous les Montagnards. Le 26 novembre, Danton à son tour demande l'interdiction des mascarades religieuses et le retour à la liberté du culte. Le 29, le procureur de la Commune, Chaumette, un moment impliqué, nie toute responsabilité et tente de s'opposer à la fermeture des églises. Le 11 décembre, Hébert lui-même rappelle qu'il a toujours considéré Jésus comme le premier des sans-culottes, un « franc jacobin ». L'union sacrée des dirigeants brise en deux semaines l'élan des militants populaires et les plonge en plein désarroi par des accusations d'immoralité et de complicité avec l'étranger. Les représentants en mission rapportent la stupeur des sociétés populaires devant l'étouffement d'une « sublime impulsion », d'une « commotion électrique ». Certes, les églises resteront fermées au culte. Mais l'interdiction des comportements déchristianisateurs marque la fin de la marche en avant de la Révolution, le moment où le pouvoir jacobin affirme sa prépondérance et brise la tentative de débordement des sans-culottes. Le sens de ce succès n'a pas échappé aux historiens du peuple.

« *Si nous n'avons plus de prêtres, qu'on nous donne des instituteurs* »

L'échec de la déchristianisation s'explique facilement : c'est une pratique minoritaire et militante. Les masses peuvent partager certaines fêtes ou mascarades, mais dans de nombreuses régions, l'arrêt du culte était superficiel. La défense des « bons prêtres » et la résistance aux persécutions religieuses animent d'autres mouvements massifs et populaires. La destruction du culte est vouée à l'échec pour les populations restées croyantes. On ne transforme pas les mentalités religieuses par la terreur, qui entraîne plus de vocations à terme que de défections.

Les déchristianisateurs avaient conscience de ce qu'ils voulaient détruire mais n'étaient pas capables de théoriser la reconstruction indispensable du « vide immense » créé par l'arrêt du culte. Leurs théoriciens n'ont plus aucune influence, lorsqu'ils définissent le moyen de la régénération, l'organisation « prompte » de l'éducation nationale. Babeuf refuse ainsi de substituer un culte à l'autre : « il faut répandre naturellement l'instruction par des ouvrages élémentaires, simples, d'une intelligence facile ». Mais il ne sort de prison le 7 décembre 1793 que pour y retourner le 31 décembre. Les curés rouges, abdicaires et initiateurs de la déchristianisation, demandent la même politique pour combler « l'intervalle » :

« Si nous n'avons plus de prêtres qu'on nous donne des instituteurs » ; la plus prompte organisation de l'éducation nationale achèvera d'étouffer tous les monstres ». Ces curés rouges
voudraient être les instituteurs laïcs du nouveau régime, « des
saints sans espérance », un siècle avant ceux de Jules Ferry.
Mais ils sont discrédités comme anciens prêtres et ne peuvent
peser sur un mouvement qu'ils ont contribué à déclencher. Le
retard de l'éducation populaire condamne à terme la déchristianisation.

Une partie des déchristianisateurs se détourne des cultes
montagnards, de la Raison et de l'Etre Suprême. Cette religion abstraite, spiritualiste, soulève l'enthousiasme des municipalités et sociétés bourgeoises, mais un écho réduit dans le
peuple qui assiste aux cérémonies comme à des spectacles, ou
s'en détourne.

D'autres comblent l'intervalle en associant les cultes civiques des martyrs de la liberté à des formes anciennes de religiosité. Aussi le succès dans le Poitou du culte des « saints et
saintes patriotes ». Le culte de l'Etre Suprême présente des
analogies évidentes avec les célébrations religieuses : autel,
rites, cantiques, martyrs, symboles, desservants. Il s'oppose à
une déchristianisation qui visait au départ à détruire les restes
de la superstition, les racines de la religion par l'instruction
laïque et civique. Le mouvement est bloqué en décembre par
les Montagnards. C'est le début d'une reprise en main des
organisations populaires.

LA FIN DU POUVOIR SANS-CULOTTE

Entre les Montagnards et les sans-culottes, la lutte pour le
pouvoir présente des contradictions insurmontables. Pour les

porte-parole du mouvement populaire, le peuple seul est « souverain », les délégués ou députés restent des « mandataires », soumis au contrôle des assemblées primaires.

« Souverain mets-toi à ta place... préposés du souverain, descendez des gradins, ils appartiennent au peuple » (Leclerc, le 23 août). Les organisations populaires doivent être permanentes et autonomes. Elles doivent exercer des fractions de pouvoir, de justice, d'administration et de police locale avec une décentralisation « communaliste » (Cobb). Par les pétitions, les délégations, les votes, elles surveillent le pouvoir législatif. Elles peuvent le révoquer lorsqu'il viole les droits du peuple, par l'insurrection, la journée populaire. La démocratie directe, où l'on vote par assis levés, main levée ou acclamations remplace le scrutin secret.

« La démocratie n'est pas un état où le peuple règle par lui-même toutes les affaires publiques » (Robespierre)

Pour les Montagnards, le peuple délègue ses pouvoirs à la représentation nationale : « le peuple souverain fait par des délégués tout ce qu'il ne peut pas faire lui-même » (Robespierre, le 15 mai 1793). La démocratie directe et décentralisée leur est étrangère :« la démocratie n'est pas un état où le peuple continuellement assemblé, règle par lui-même toutes les affaires publiques, encore moins celui ou cent mille fractions du peuple par des mesures isolées, précipitées et contradictoires décideraient du sort de la société tout entière » (Robespierre). L'unité de gouvernement est nécessaire. La Convention est la seule source du pouvoir légal, elle est inviolable et sacrée. Dans l'esprit de la plupart des Montagnards, le soutien populaire était provisoire, tactique, conjoncturel : « Il faut très impérieusement faire vivre le pauvre si vous voulez qu'il vous aide à finir la Révolution française » (Jean Bon-Saint-André). « Pour que la République se maintienne que les plus pauvres citoyens soient assurés de vivre avec aisance » (Jullien, décembre 1792). Au début du compromis les deux conceptions s'affrontent vivement.

Dès septembre 1793, les Enragés sont liquidés malgré la mise en place de leur programme. Jacques Roux est arrêté le 5 septembre — il meurt en prison — Varlet le 18 septembre. Leclerc doit interrompre son journal *L'Ami du Peuple* et partir pour l'armée le 15 septembre 1793. La permanence des sections est supprimée en même temps. L'arrêt de la déchristianisation amplifie le mouvement. Le 4 décembre, un décret détruit l'autonomie des sociétés populaires et des comités de surveillance qui doivent être contrôlés, épurés, dirigés par la Convention. Les Armées révolutionnaires de province sont supprimées. En mars-avril 1794, les organisations populaires ont disparu ou sont soumises. Les sociétés populaires comme celle de Brutus signalent leur dissolution à la Convention. Les membres des comités de surveillance deviennent des fonctionnaires appointés. L'Armée parisienne est licenciée. En avril 1794, la courte période du pouvoir populaire est terminée après une lutte sourde qui a duré six mois.

« *La révolution est glacée* » (Saint-Just)

Mais cette liquidation prive les Montagnards du soutien de leur base. Le relâchement de la contrainte économique se manifeste dès janvier 1794 avec les retards dans l'application du maximum et la baisse de valeur de l'assignat. Nécessaire pour certains Montagnards, l'économie dirigée n'était pour la

L'inflation galopante de l'an III.

plupart qu'un expédient militaire et tactique. La volonté de ne pas mécontenter les milieux d'affaires apparaît avec la fin de la terreur économique et la loi réduisant le 22 juillet les salaires des ouvriers. Une retraite économique suit la mise au pas des organisations populaires. Les Montagnards s'en retrouvent isolés. Dès juin 1794, « la révolution est glacée » selon Saint-Just, qui tente d'améliorer la condition des indigents par les lois (inappliquées) de Ventôse. Le militantisme fait place au conformisme, à la passivité. La chute des Montagnards ne provoque pas de réaction populaire car la sans-culotterie n'existe plus comme force de pression autonome. Des ouvriers crient « foutu maximum » au passage de la charrette des Robespierristes. Mais ceux qui espèrent une renaissance du mouvement populaire déchanteront vite après thermidor. La réaction sociale met fin en neuf mois au mouvement sans-culotte et enterre la révolution culturelle.

LA FIN DES SANS-CULOTTES

La crise de l'an III

Malgré la retraite économique, le gouvernement montagnard avait assuré le droit à l'existence du peuple par la taxation des denrées de première nécessité. Les thermidoriens conservent le système un moment, mais l'abandon de toute contrainte entraîne la rareté des subsistances. Le 24 décembre 1794 voit le retour à l'économie libérale : « Toutes les lois portant fixation d'un maximum sont supprimées. » Les couches populaires sont de nouveau victimes de l'insécurité matérielle, après une expérience de vingt mois.

L'abandon du maximum coïncide avec la plus grave crise de susbsistances de la Révolution. Il la porte à son paroxysme. La récolte de l'été 1794 avait été mauvaise. Le ravitaillement des villages en hiver est compromis par le gel des fleuves et des routes : entre — 15° et — 20° entre Paris et Rouen, les loups aux portes de Toulouse, le canal du Midi gelé... Au souci du pain quotidien s'ajoute le problème du chauffage domestique.

La disette s'installe dans les foyers. De janvier 1795 à mai 1795 les rations de pain, de riz et de pommes de terre distribuées par l'agence des subsistances aux travailleurs ne cessent de diminuer : en avril l'ouvrier dispose d'un huitième de la ration normale : en mai d'un seizième. La disette s'est transformée en famine pour les « ventres creux ». Les autres marchandises sont interdites. Elles abondent mais la liberté des prix les a rendues inaccessibles aux budgets populaires. En quatre mois, la livre de viande passe de trente-quatre à cent quarante sous. L'inflation galopante réduit d'autant le pouvoir d'achat des salariés, puisque les prix sont multipliés par neuf quand les salaires le sont par six.

Les effets de la famine sont dramatiques. La mortalité de l'an III est pratiquement double d'une année normale à Paris, avec trente et un mille décès contre dix neuf mille en l'an II. Les enfants en bas âge (mille neuf cents décès en octobre 1794, trois mille en février 1795), les femmes, les personnes âgées sont les plus touchés. Des suicides dus à la faim — de plus en plus nombreux — sont rapportés dans les journaux.

Le chômage lié à la fermeture des fabriques d'armes et des ateliers de charité progresse. L'assistance aux mères célibataires est supprimée. Les files d'attente aux boulangeries et boutiques de bois de chauffage se forment après minuit. La prostitution et la délinquance se développent, mais le vol d'un pain conduit Jean Valjean au bagne pour dix-neuf ans. Le gouvernement est tenu pour responsable de la crise : « le sang coulait peut-être sous Robespierre, mais on avait du pain ». Le droit de propriété l'emporte sur le droit à l'existence.

ACTE DE JUSTICE.
Du 9 au 10 Thermidor.

Le 9 thermidor.

La révolution culturelle de l'an II

Les deux nations : « ventre creux » et « jeunesse dorée »

Face au peuple, prospèrent les « ventres dorés », les « cochons gras ». Les marchés regorgent de produits chers, de brioches à cent sous : « les traiteurs et les pâtissiers sont mieux fournis que jamais » (31 mars) ; « les Halles et les marchés sont très bien approvisionnés... mais les denrées se vendent à des prix excessifs » (19 mai 1795). La revanche des « honnêtes gens » s'affirme au point que Levasseur décrit une lutte de classes : « on vit Paris divisé entre deux nations ».

Le vie mondaine bat alors son plein avec la réouverture des cafés et des théâtres chics. Un clerc de notaire constate : « les bals continuaient et la disette aussi, de sorte qu'en sortant des salles de danse, de minuit à une heure du matin, la première chose qu'il nous était donné d'apercevoir était des queues déjà toutes formées à la porte des boulangeries » (G. Duval). Les deux nations s'affrontent sur tous les plans. La réaction sociale et culturelle qui se déclenche prend le contrepied de l'an II, attaque systématiquement l'égalitarisme et les signes de la sans-culotterie.

Face aux sans-culottes se dressent les Muscadins. Deux ans auparavant, ces jeunes gens de bonne famille, « clercs de notaire, commis de banque, administrateurs publics célibataires » (vingt-cinq ans en moyenne), avaient protesté contre la levée des trois cent mille hommes. Relâchés après Thermidor, ils se constituent en bandes armées sous les ordres de Fréron et forment une « jeunesse dorée » de trois mille personnes, parfumées au « musc ».

Le muscadin est l'antithèse du sans-culotte dont il condamne la « saleté officielle », la crasse, la laideur. Il porte un chapeau haut de forme ou un bicorne en demi-lune sur une perruque blonde aux mèches compliquées. Il s'oppose aux

LES CROYABLES
au tripot.

Incroyables et muscadins.

bonnets rouges, victorieux en l'an II, les fait voler à coup de
gourdins plombés ou de badines flexibles, qui ont remplacé
les piques. En janvier, à la Convention, un député soulève un
tumulte en siégeant en bonnet rouge, puis en coiffant le
buste de Marat de ce symbole. « Derrière les tissus, c'était les
valeurs républicaines et toute l'idéologie de la liberté qui était
visée » (Gendron). Le muscadin raille les pantalons et les

sabots des hommes du peuple : il a des culottes serrées agrafées aux genoux, une énorme cravate de mousseline, une redingote, des escarpins et des bas fins. Ses mains blanchies à la pâte d'amande contrastent avec celles des ouvriers. Il ne porte pas la cocarde.

Il incarne la réaction à l'égalitarisme. Le retour des inégalités et des distances sociales s'impose par le langage. « Les tu et toi disparaissent de la conversation » *(la Vedette).* Un général tutoyé par un particulier déclenche une rixe. Au contraire, le muscadin s'exprime dans un langage bizarre, caractérisé par la « paralysie de l'organe de la parole... un bourdonnement confus qui ressemble pas mal au pz par lequel on appelle un chien de chasse... ho'ible ! C'est inco'yable en vérité, c'est inimazinable » (cité par Brunot). Le muscadin joue le rôle de porte-parole de la bourgeoisie thermidorienne. La « jeunesse dorée » envahit les loges des théâtres, chasse les « tape-durs », interdit leurs chansons, impose les modifications du répertoire au moment où cessent les spectacles de par et pour le peuple. Les pièces anti-jacobines font un triomphe : le *Réveil du Peuple,* le *club infernal* où *les Jacobins du 9 thermidor* remplacent le *Tu et le Toi, Plus de bâtards en France.* Les acteurs patriotes doivent se rétracter en pleine scène ou sont passés à tabac. Les bonnets sont expulsés des parterres. Après l'intermède de l'an II, les théâtres sont réinvestis par l'élite.

Il ne reste qu'à détruire les signes de la révolution culturelle. Après thermidor, les montagnes avaient été nivelées, comme témoins de l'orgueil des hommes, après avoir été la marque de l'élévation du genre humain. Les piques commencent à disparaître des mains des Libertés sculptées pour laisser la place aux sabres d'honneur. Les insignes civiques comme la cocarde sont passés de mode.

La démaratisation clot une campagne spectaculaire contre

les comportements de l'an II. Au début, les thermidoriens reprennent à leur compte le culte du martyr. Ses cendres et son cœur sont transférés au Panthéon, en septembre 1794, au cours d'une cérémonie grandiose. Il était l'objet d'une dévotion particulière dans le peuple. A partir de février 1795, la jeunesse dorée commence à briser ses bustes dans les théâtres. La Convention vote son retrait du Panthéon. Les cendres de Marat sont dispersées au vent. Son monument funéraire de la place du Carrousel est mis en pièces. Ses bustes flagellés sont enfin jetés aux égoûts, comme un défi.

La misère explique le manque de réaction des organisations épurées aux provocations. Quelques rixes, quelques affiches dénonçant « les Muscadins freluquets qui puent le musc de la tête au pied »... Le mécontentement se traduit par un retour des citoyens pauvres dans les sections et une mobilisation rappelant 1789 et 1793. Les Thermidoriens cherchent à prévenir l'insurrection prévisible en décrétant la loi martiale et la peine de mort pour qui forcerait l'entrée de la Convention. Vingt-cinq sections pétitionnent alors sur les subsistances et les murs proclament « Peuple ! Réveille-toi ». Entre la bourgeoisie libérale et ce qui reste du mouvement populaire, la lutte finale se développe dans les « journées de la faim » de Germinal (1er avril 1795) et de Prairial (20 mai 1795).

« *L'insurrection du peuple pour obtenir du pain et reconquérir ses droits* »

1er avril 1795 : une foule de vingt mille manifestants se masse devant la Convention. Elle envahit les tribunes malgré les forces de l'ordre et scande « du pain ! du pain ! ». A 19 heures, la garde bourgeoise des quartiers « sûrs » disperse les derniers présents. C'est une journée populaire, mais sans responsables — la plupart sont en prison comme Babeuf —, sans programme et sans violence. Paris est alors mis en état de siège, mille six cents militants sont désarmés, déchus de leurs droits civiques. 19 mai 1795 : une feuille imprimée circule dans toutes les mains : c'est l'« *Insurrection du peuple pour obtenir du pain et reconquérir ses droits* ». La journée est fixée au lendemain. Le peuple doit se porter en masse à la Convention, « destituer le gouvernement actuel », convoquer les assemblées primaires et la future Législative ».

Le plan d'insurrection du 20 mai 1795

« Le peuple s'emparera des barrières, de la rivière, du télégraphe, du canon d'alarme, des cloches destinées pour le tocsin et des tambours de la garde nationale afin qu'il ne puisse en être fait aucun usage.

La canonniers et la gendarmerie, les troupes à pied et à cheval qui sont dans Paris et aux environs seront invités à se ranger sous les drapeaux du peuple et à s'unir à lui par les liens de la fraternité pour conquérir les droits communs.

Tout pouvoir non émané du peuple est suspendu. »

19 mai 1795, floréal an III

« L'insurrection est pour tout un peuple et pour chaque portion du peuple opprimé le plus sacré des devoirs. » C'est le premier programme de rupture avec la légalité parlementaire, puisqu'il exige « l'abolition du gouvernement révolutionnaire ».

20 mai 1795 : c'est l'épreuve de force. Le tocsin sonne à 5 heures du matin : des groupes armés de femmes — d'abord — et de gardes nationaux convergent sur la Convention. Des milliers de femmes se massent, tentent d'envahir l'Assemblée. Des hommes suivent avec l'inscription « du pain ou la mort » sur leurs chapeaux. A 15 h 33, la porte de cèdre qui protège les députés est enfoncée pour la première fois depuis 1789. Les sans-culottes armés de piques occupent l'Assemblée jusqu'à minuit. La tête d'un député hostile, Féraud, est coupée « comme une rave » et portée sur une pique pendant deux heures. Un canonnier de vingt-cinq ans, Duval, lit le texte de l'*Insurrection*. Les derniers Montagnards prennent la direction du mouvement, votent des lois sur les subsistances. Persuadés du succès, les insurgés se retirent sans avoir destitué les comités en place. La garde bourgeoise se rend alors maître des lieux.

Cette troisième révolution, populaire, antibourgeoise, a été évitée de justesse, par un ultime respect de la légalité parlementaire. L'insurrection a épouvanté les Thermidoriens : « Jamais je n'avais vu le peuple aussi exaspéré dans les journées les plus terribles de la révolution » (Carnot) ; « Jamais pareille chose ne s'était vue depuis l'existence de cette grande ville, ni le 14 juillet, ni le 10 août, ni le 31 mai » *(Le Courrier républicain)*. La répression est à la mesure de l'effroi des Thermidoriens.

23 mai 1795 : une armée de quarante mille hommes dirigés par Menou s'oppose à soixante mille combattants des faubourgs, protégés par des dizaines de barricades. La guerre civile est évitée par une médiation ultime des maîtres-artisans du faubourg Saint-Antoine. Pendant qu'une délégation va à la Convention, les barricades sont méthodiquement démontées, le désarmement systématique peut commencer.

La révolution culturelle de l'an II

Le désarmement du peuple

Il n'y aura « que » trente-six condamnations à mort de meneurs et meneuses. Mais près de huit mille personnes seront arrêtées ou désarmées, ceux qui avaient joué un rôle dans les mouvements de 1789 à l'an III. Les sections sont invitées à s'épurer de tous leurs membres suspects et « terroristes ». La chasse aux « Jacobins » et aux sans-culottes est ouverte. Le personnel sectionnaire de l'an II est poursuivi avec acharnement. L'armée régulière, réintroduite à Paris, le 21 mai 1795, est la garante de l'ordre nouveau, avec la garde bourgeoise : « c'est à compter de ce jour seulement que nous pouvons être assurés du respect que l'on aura pour les personnes et les propriétés » (*Le Messager* du 24 mai 1795). Les militants sont rentrés dans les prisons ou les foyers. Le peuple perd le droit à la parole pour un demi-siècle. L'échec des sans-culottes est consommé après quatre ans d'existence du mouvement.

« Tricoteuses, lécheuses de guillotine »

La répression est extrêment sévère pour les femmes qui ont joué un rôle essentiel dans les « journées de la faim ». Le 23 mai, un décret organise leur renfermement. Il leur est interdit de participer à aucune réunion politique, même des tribunes. Les attroupements de plus de cinq femmes seront dispersés ! De nombreuses militantes sont arrêtées, certaines exécutées. La fin du mouvement signifie leur exclusion définitive de la scène politique où elles avaient paru cinq ans auparavant, comme des héroïnes de la Révolution, lors d'une autre crise de subsistances.

Les femmes dans les journées de la faim (1795)

> 20 mai : Des bandes de femmes courent les rues, entraînant avec elles les femmes qu'elles rencontrent au passage. Elles pénètrent dans les celliers et jusque dans les appartements pour obliger par tous les moyens, de la persuasion aux voies de fait, les citoyennes à les suivre. »
>
> 23 mai : « Les femmes comme des furies excitaient les hommes : « nous forcerons tous les lâches à marcher. »
>
> 23 mai : « Considérant... que des femmes ou égarées ou suscitées par les ennemis de la liberté, abusant des égards qu'on a pour faiblesse de leur sexe, courent les rues, s'attroupent, se mêlent dans les rangs et jettent le désordre dans toutes les opérations de police et militaire.
>
> Décrète que les femmes se retireront jusqu'à ce qu'autrement soit ordonné dans leurs domiciles respectifs. Celles qui cinq heures après l'affichage du présent décret seront trouvées dans la rue, attroupées au-dessus du nombre de cinq seront dispersées par la force armée et successivement mises en état d'arrestation jusqu'à ce que la tranquillité publique soit rétablie dans Paris. »
>
> Décret du 23 mai 1795,
> 4 prairial an III

La lutte des classes de l'an III se termine par le triomphe de la bourgeoisie libérale et censitaire. Une réaction violente suit l'échec des « ventres creux ». La presse thermidorienne règle ses comptes avec les « terroristes », reconnaissables à leurs physionomies : « leur teint livide et leurs yeux caves n'annoncent-ils pas quel fut leur père nourricier ? » Elle se déchaîne contre les femmes du peuple « lapines, furies, faméliques, harpies, tricoteuses, lécheuses de guillotine ». Le procès de l'an II s'ouvre à cette date ; l'histoire thermidorienne tente de légitimer la politique de répression par le dénigrement mécanique de la période de révolution culturelle.

L'Intérieur des Comités Révolutionnaires

C'est au théâtre que le procès s'instruit. Quatre jours après le désarmement, une pièce dont l'auteur n'espérait qu'un « succès d'estime » défraie la chronique et soulève l'enthousiasme des « honnêtes gens » et des Muscadins (qui disparaissent ensuite de la scène politique). Dans *l'Intérieur des Comités Révolutionnaires*, Ducancel dresse un réquisitoire typique contre les sans-culottes, analphabètes, grossiers, arrivistes et corrompus. Les quatre responsables des Comités s'appellent Caton, Scaevola, Brutus et Torquatus ; ils sont laquais, coiffeur, portier et rempailleur. La caricature efficace déclenche des tonnerres d'applaudissements : « Depuis que nous sommes libres, nous ne pouvons plus sortir de la ville sans un passeport » ; « La prison est l'unique asile de la vertu sur la terre ». Le mythe de l'an II est né. Quelques mois plus tard, les derniers symboles de la révolution culturelle disparaissent : prénoms révolutionnaires, pièces populaires, chansons civiques suivent le chemin des bustes de Marat, des piques et des bonnets rouges. En désarmant le peuple, sans lequel la révolution n'aurait pu s'accomplir, l'élite dirigeante peut accomplir le rêve caressé par Barnave en 1790, La Fayette en 1791 : fonder le régime des « notables » sur les nouveaux privilèges, en excluant les masses de l'accès à l'aisance, aux responsabilités, au savoir.

L'INTÉRIEUR DU COMITÉ RÉVOLUTIONNAIRE.

L'Intérieur du comité révolutionnaire.

« De vilaines
figures terreuses. »

« Lécheuse
de guillotine. »

VIII. *Élites et peuple :*
Le bilan d'une Révolution

> « *Peuple ! Réveille-toi à l'espérance, cesse de rester engourdi et plongé dans le découragement.* »
> (Gracchus Babeuf, 1795.)

Cinq mois après le désarmement du peuple, la Convention thermidorienne se sépare sur le vote d'une Constitution aux principes clairs. Le pouvoir doit être réservé aux « meilleurs » (Boissy d'Anglas) : « les meilleurs sont les plus instruits et les plus intéressés au maintien des lois ». Dans ce régime censitaire qui renoue avec 1790, les privilèges de la propriété, de l'aisance et de l'instruction supplantent la naissance et la fonction. Le Directoire définit les bases de l'inégalité entre l'élite dirigeante des « notables » et un peuple exclu du savoir et de la politique. L'échec de la Conjuration des Egaux clôt le mouvement populaire. Quel est son bilan, cinq ans après la poussée égalitaire de l'an II ?

LA RÉPUBLIQUE DES « NOTABLES »

Dans la Constitution de l'an III, les hommes ne naissent et ne demeurent plus libres et égaux en droits. Les députés n'ont pas eu l'hypocrisie de conserver l'article premier de la

273

Déclaration des Droits et de la Constitution de 1793. Le droit à l'égalité fait place à la « défense du droit sacré de propriété ». La République des « notables » se forme, en réintégrant partiellement l'ancienne aristocratie.

La réinsertion sociale des nobles est retardée pour des motifs politiques de circonstances. En septembre 1797, les anciens émigrés doivent s'exiler sous les quinze jours et leurs parents ne peuvent exercer un emploi civil. Mille cinq cents sur seize mille seulement seront rayés des listes d'émigrés et dédommagés.

Les nobles récupèrent pourtant des avantages et du prestige social. La propriété nobiliaire, en déclin, s'est maintenue pour l'essentiel grâce aux divorces fictifs, aux prête-noms, aux achats de biens nationaux. Quelques années plus tard, les listes des « notabilités » impériales établiront une prépondérance des nobles. C'est l'amorce d'une reconquête des honneurs. Au temps de Jacquou le Croquant (1828) existent de véritables survivances féodales. Des privilèges ont disparu, mais la prééminence politique en milieu rural durera jusqu'au régime des ducs et pairs de 1875.

Pour les mêmes raisons, le retour des prêtres est différé. Après la séparation de l'Eglise et de l'Etat, les « bons prêtres » commencent à rentrer et célébrer le culte. Mais le clergé a été durement touché par l'exil, les abdications, la répression. Les conflits avec les réfractaires rendent difficiles la reconstitution de l'Eglise constitutionnelle autour de Grégoire, au concile d'août 1797.

Les prêtres doivent prêter de nouveaux serments de fidélité au régime : ils sont fichés, notés par les agents du Directoire. Quatre cents églises sont vendues aux enchères dans la seule région du Nord. La situation du clergé reste précaire. Dans le district de Corbeil, on comptait cent vingt-trois curés et vicaires en 1789 ; il en reste soixante-dix en 1797 dont quarante nouvellement installés, neuf prêtres mariés, cinq occupant un autre métier. L'Eglise n'a récupéré ni ses biens, ni ses effectifs. Il faut attendre le Concordat de 1802 pour que débute une « renaissance » du clergé, régulier et séculier, qui culminera entre 1871 et 1875 dans « l'ordre moral ».

Face à des élites « raccourcies » mais en voie de reconstitution, les bénéficiaires de la Révolution restent les notables bourgeois.

« *Vous devez garantir la propriété du riche* »

Le pays « légal » se réduit à trente mille personnes au terme de la Constitution. En théorie, seuls deux millions d'indigents sont exclus du vote des assemblées primaires, ouvertes aux six millions de citoyens payant l'impôt. En fait, pour être député, ou accéder aux charges administratives il faut posséder un bien de la valeur de cent cinquante à deux cents journées de travail. Trente mille « meilleurs » ont le droit de concourir aux lois. Sept millions peuvent à la rigueur les désigner... ou tenter de s'enrichir.

L'élite dirigeante est formée des riches et des enrichis. Une partie de la haute bourgeoisie des finances et des affaires a continué à prospérer malgré la crise : manufacturiers d'Elbeuf, dirigeants des mines du Gard, sidérurgistes d'Anzin... S'y ajoutent le personnel pléthorique de la bureaucratie et de l'administration directoriales, qui, comme le père Grandet « ont fait d'excellents chemins qui menaient tout droit à leurs propriétés » (Balzac), et les professions libérales devenues propriétaires par l'achat de biens nationaux. Dans les campagnes, les enchères ont profité aux gros propriétaires et fermiers capitalistes. Les nouveaux riches ont acquis l'aisance par des moyens « légaux sinon légitimes » : fournisseurs privés des armées, spéculateurs sur les assignats et les biens, gros commerçants. La fortune des notables est la justification première de leur prépondérance politique.

« Les savants jouissent d'un crédit sans bornes »

Le second privilège, lié à la propriété, est l'instruction « qui rend propre à discuter avec sagacité et justesse les avantages et les inconvénients des lois. » D'où la création d'un système scolaire élitiste pour former les cadres et les dirigeants du pays.

Dans le secondaire, les collèges d'Ancien Régime sont remplacés par les écoles centrales, fondées en février 1795. En 1799, une centaine fonctionnent avec des effectifs de cent cinquante à cinq cents élèves de douze à dix-huit ans, bilan remarquable et comparable à l'Ancien Régime. Les études sont payantes : vingt-cinq livres par an. Sauf quelques centaines de boursiers sur trente mille élèves, les enfants du peuple n'y ont pas accès. Le recrutement social n'a guère varié par rapport à 1789 : moins de nobles, plus de propriétaires. Stendhal, élève à Grenoble, vante la qualité de l'enseignement dispensé par des maîtres recrutés sur concours et (bien) payés par l'Etat.

Les meilleurs éléments des écoles centrales se présentent aux concours de nouvelles « écoles spéciales », nos grandes écoles actuelles. Pour les littéraires, l'Ecole Normale Supérieure (éphémère), l'école des Langues Orientales. Pour les ingénieurs les Arts et Métiers (1795) et Polytechnique, créée en septembre 1794 pour former en trois ans « aux principes communs à tous les métiers d'ingénieurs ». Des écoles supérieures de santé remplacent les facultés de médecine. Les talents sont requis pour cet enseignement supérieur de haut niveau : cinq grands compositeurs enseignent au Conservatoire de Musique. Quelques milliers d'enfants de notables accèdent grâce aux diplômes aux hautes charges de l'état et des affaires.

Au sommet de la pyramide intellectuelle, l'Institut ouvre en avril 1796, au moment de la liquidation des Egaux. Trois sections réunissent les noms illustres de la science et de la culture française. Aux Arts et Belles-Lettres, David, repenti après une disgrâce, siège aux côtés des architectes Percier et Quatremère. Aux sciences physiques et mathématiques, on note Monge, Lagrange, Laplace : « Les savants jouissent d'un crédit sans bornes. On n'ignorait pas que la République leur devait le salut et l'existence » (Biot). Aux sciences morales et politiques, les « Idéologues » comme Daunou, groupés autour de *la Décade philosophique*, se veulent les héritiers des philosophes. Les intellectuels, les savants et les artistes donnent le ton à la société directoriale. Les talents et les capacités sont valorisés, plus qu'en l'an II, par des distinctions, des responsabilités politiques.

« Liberté, propriété, inégalité »

Les catégories populaires ont profité inégalement de la Révolution. On a peut-être trop insisté sur les contrastes sociaux du Directoire. Le Tout-Paris des « ceintures dorées » rappelle l'aristocratie par son existence luxueuse, réservée aux plaisirs. Les cafés et restaurants chics, les courses de chevaux pour élégantes, les fêtes galantes, le mobilier et le décor

Directoire insultent la misère des « ventres creux ». Mais ce mode de vie ne concerne qu'une minorité.

La paysannerie a retiré des avantages matériels certains. Le mouvement paysan a éliminé définitivement la féodalité. La Révolution a multiplié les propriétaires, les a attachés à la terre. La paysannerie moyenne a pu acheter les biens nationaux, en petits lots, par enchères groupées ; des partages égalitaires de communaux récupérés ont concerné des paysans pauvres. Des communautés ont conservé la jouissance de leurs biens collectifs. Si la différenciation sociale des campagnes rejette vers les villes les petits propriétaires et les salariés de la terre, la base sociale du régime est plus large qu'au début de la Révolution.

Pour les villes, le bilan est variable. A la crise de l'an IV, le pain est à sept sous la livre et des suicides si nombreux qu'ils ne sont plus recensés. Succèdent des années meilleures avec la suppression du papier-monnaie et de l'inflation, le rétablissement de l'activité économique. La condition des ouvriers des manufactures textiles ou sidérurgiques ne s'est pas dégradée.

Mais le fossé matériel demeure. La contestation de l'inégalité des fortunes relève de sanctions pénales graves. La taxation est passible de prison. L'insécurité des consommateurs reste totale. La Révolution a créé les conditions du développement du capitalisme et de l'exploitation d'une classe ouvrière en devenir, sans droit de grève ou de coalition. La condition des indigents a régressé. Le droit à l'assistance est retranché de la Constitution de l'an III : l'Etat se décharge de la bienfaisance sur les associations charitables. L'indigent est présumé « fainéant » (Daunou). Le mépris social d'avant 1789 perce à nouveau. La devise conforme du Directoire devrait s'écrire « Liberté, propriété, inégalité ».

Elites et peuple : le bilan d'une révolution

« Voilà l'éducation de la classe ouvrière »

Le fossé scolaire s'est renforcé, malgré le mythe de l'égalité des chances. Les Montagnards avaient défini des objectifs ambitieux pour l'école primaire : le plan Lepeletier prévoyait en juillet 1793 l'obligation et la gratuité dans le cadre d'une laïcité totale. Il insistait sur la formation manuelle et artistique. L'Etat devait payer et former les instituteurs. La loi Bouquier de décembre 1793 établissait une école pour mille habitants. Le temps, les moyens ou la volonté ont manqué pour appliquer ces réformes, réclamées avec insistance par les sections.

Les régimes suivants ont le mérite de la franchise : l'école primaire ne les intéresse pas. La formation des maîtres par l'Ecole Normale créée en septembre 1794 est un échec : mille quatre cents élèves de plus de vingt ans se dispersent après cinq mois d'enseignement théorique inadapté.

Le malaise de l'école primaire sous le directoire

« L'ancien instituteur Pierre Coquillard, reconnu et reçu capable, tant par ses bonnes mœurs que par sa capacité, par les jurys de l'an III et IV, n'a pas pu continuer cet exercice.

Premièrement, parce que n'ayant aucun traitement fixe et certain, il fut mort de faim en ne recevant que ce que les parents peuvent et veulent accorder pour l'instruction de leurs enfants.

Deuxièmement, parce que se voyant privé d'un local propre à l'exercice des écoles publiques, son malaise s'est encore aggravé par la circonstance de la vente du presbytère. »

Luminy, Seine-et-Marne, 1798

La réforme de Daunou d'octobre 1795 revient sur les principes antérieurs. Les instituteurs seront rétribués par... les parents d'élèves. Pour soixante-seize places dans le Nord se présentent trente candidats, tous reçus. L'obligation disparaît, une école par canton (dix communes) peut suffire. Des enquêtes de 1797 et 1798 marquent un net recul du réseau primaire dans la plupart des départements, par rapport à 1789 : Aube, Maine, Bas-Rhin. La stabilité ne vaut que pour les régions de faible densité antérieure comme le Languedoc.

La laïcité est abandonnée. Les écoles privées tenues par les anciennes congrégations l'emportent sur les écoles publiques : dans le Doubs trois cent trente-six contre quatre-vingt-dix ; dans le Gers quatre-vingts pour cent, à Paris deux mille écoles particulières et cinquante publiques. Si les enseignants privés ne sont pas tous « fanatiques », le malaise de l'instruction primaire est patent. Le mépris des autorités pour l'école du peuple rejoint la position de l'élite ancienne et des Lumières. On naît ignorant en 1799 comme en 1789 ; la ségrégation scolaire reflète la ségrégation sociale. L'idéologue Destutt de Tracy traduit ce sentiment de la classe dirigeante, en 1800. « Nous avons deux systèmes complets d'instruction publique. Les écoles dites primaires et les apprentissages des différents métiers, voilà l'éducation de la classe ouvrière ; les écoles centrales et spéciales, voilà celles de la classe savante et je ne conseillerai pas plus de donner celle-ci à un enfant destiné à être artisan que de donner les premières à celui qui doit devenir homme d'Etat ou homme de lettres ».

La conjuration pour l'Egalité, aux source du communisme

La rupture entre la bourgeoisie dirigeante et les couches populaires est donc consommée. Les leçons sont tirées par les

Egaux. La conspiration pour l'Egalité de l'an IV définit un programme communiste et une stratégie insurrectionnelle d'une nature nouvelle.

Le programme des Egaux est connu par deux manifestes : celui des Plébéiens est publié par Gracchus Babeuf dans le n° 34 de son *Tribun du Peuple*, entre la cinquième et la

Gracchus Babeuf.

sixième arrestation du journaliste, en novembre 1795. Il est plus précis et rigoureux que le Manifeste des Egaux rédigé par Sylvain Maréchal, peu avant la découverte de la Conspiration, en mai 1796.

Les Egaux constatent que six ans après la Révolution, l'inégalité séculaire entre le peuple et l'élite n'a pas reculé, malgré les promesses et les devises. Ils dénoncent les fondements permanents de cette inégalité : la propriété en tête. « Tout ce qu'un membre du corps social a au-dessus de la suffisance de ses besoins... de toute espèce et tous les jours, est le résultat d'un vol fait aux co-associés ». Puis l'héritage : « l'hérédité par famille est une non moins grande horreur ». Enfin l'éducation qui permet à l'ouvrier horloger « d'acquérir le patrimoine de vingt ouvriers de charrue, qu'il a par ce moyen expropriés ». Ces fondements doivent disparaître pour laisser la place dans la cité future à l'« égalité parfaite », définie essentiellement pour des communautés rurales que Babeuf connaît bien.

Dans la cité égalitaire, la propriété n'aura plus de raison d'être : « Nous prouverons que le terroir n'est à personne, mais qu'il est à tous ». Il ne s'agit pas de réforme agraire par la répartition égale des terres entre paysans, car l'inégalité reprendrait le lendemain. Babeuf envisage un communisme de répartition des produits. Tous seront apportés au magasin commun et répartis « à chacun selon ses besoins » (égaux pour les hommes et les femmes). Dans une économie de pénurie, les besoins de tous sont définis par la simple suffisance. Une administration contrôlera les livraisons et les distributions égales des biens de consommation. La gestion commune et la rotation des responsabilités évitent le danger de recréation d'une élite. L'héritage perd toute signification. L'éducation sera égale pour tous ou elle disparaîtra : « La répartition égale des connaissances entre tous rendrait les hommes à peu près égaux en capacités et même en talents ». L'égalitarisme de Babeuf s'inspire des utopies de Morelli (le *Code de la nature* 1755) et reflète les conditions particulières de son époque ; mais il est à la source de la théorie communiste du XIXᵉ et dépasse les programmes précédents des Enragés et des sans-culottes.

Le Manifeste des Plébéïens

« Que ce gouvernement fera disparaître les bornes, les haies, les murs, les serrures aux portes, les disputes, les procès, les vols, les assassinats, tous les crimes ; les tribunaux, les prisons, les gibets, les peines, le désespoir que causent toutes ces calamités ; l'envie, la jalousie, l'insatiabilité, l'orgueil, la tromperie, la duplicité, enfin tous les vices ; plus (et ce point est sans doute l'essentiel), le ver rongeur de l'inquiétude générale, particulière, perpétuelle de chacun de nous, sur notre sort du lendemain, du mois de l'année suivante, de notre vieillesse, de nos enfants et de leurs enfants.

Tel est le précis sommaire de ce terrible Manifeste que nous offrirons à la masse opprimée du Peuple français, et dont nous lui donnons la première esquisse pour lui en faire saisir l'avant-goût.

Peuple ! Réveille-toi à l'espérance, cesse de rester engourdi et plongé dans le découragement. »

Gracchus Babeuf. *Le Tribun du Peuple*, novembre 1795

Devant l'inertie populaire, liée à la misère effrayante de l'an IV, les Egaux envisagent de prendre le pouvoir par un coup de force de militants organisés, sans-culottes, gardes nationaux, anciens Montagnards. Ils veuvent déposer le gouvernement bourgeois et exercer le pouvoir par un comité insurrectionnel, jusqu'à la régénération morale de la population.

Si le Directoire exulte après l'arrestation des Egaux, leur échec est fécond. Buonarotti, l'un des survivants de la Conjuration, révélera le programme en 1828 : « le manifeste... est le prototype de tous les manifestes socialistes qui de 1793 à nos jours forment une chaîne ininterrompue pouvant servir à jalonner l'histoire du socialisme » (Dommanget). Les mouvements révolutionnaires ultérieurs s'inspireront de la théorie et de la stratégie de la conspiration. Les suicides héroïques des Egaux susciteront des vocations communistes qui reprendront la fin du Manifeste : « que du chaos sorte un monde *nouveau et régénéré* ! Venons après mille ans changer ces lois grossières ». Maréchal affirmait en 1796 : « la Révolution française n'est que l'avant-courrière d'une autre révolution... qui sera la dernière ».

UNE RENAISSANCE CATHOLIQUE ?

Après deux ans d'interruption du culte, une renaissance catholique s'amorce, malgré une législation hostile. Il reste interdit jusqu'en 1799 de replanter la croix et les calvaires, de remplacer les cloches, d'enterrer religieusement. Pourtant les fidèles rachètent les églises et les rouvrent. Les chapelles privées se multiplient, trois cents à Paris en 1797. La persécution a renforcé le caractère populaire de la piété dans de nombreuses régions, où le retour des réfractaires et des fêtes est accueilli avec ferveur : Ouest, Normandie, Seine et Marne, Cévennes. Le retour des cloches passe dans les villages pour un symbole de la reconquête. Des notables rémois déclarent

« qu'aller à la messe c'est se confondre avec la lie du peuple ». Mais le mouvement est profond. Il s'impose par les écoles privées où l'on rencontre « des enfants de généraux, de députés qui en 92 et 93 se sont le plus élevés contre les prêtres. Ils ne regardent leur fille comme bien élevée que quand elle fait sa première communion ». Des aristocrates revenus de leurs erreurs philosophiques pensent comme Châteaubriand que la restauration de la religion est le meilleur garant d'un nouvel ordre social et moral. Cette reconquête des esprits, d'une partie de l'élite et du peuple préoccupe le régime directorial.

Des cultes pour l'élite

Les Directeurs hostiles au catholicisme tentent de fonder un culte républicain, à l'image de l'an II : « Lorsqu'on a abattu un culte, il faut toujours le remplacer » (La Revellière). Quel en est l'écho populaire ?

La Théophilanthropie, inaugurée le 9 janvier 1797, réunit d'anciens Montagnards, David, M.-J. Chénier à de nouveaux Idéologues, Daunou, Mercier. « Les célébrants revêtus de tuniques blanches, de toges bleues et portant une ceinture rouge faisaient chanter des hymnes, répéter des invocations et prononçaient des discours moraux ». Après le succès d'estime des premières séances publiques, le rituel allégorique et l'abstraction découragent les spectateurs. L'échec est manifeste, un an après.

Le Directoire tente alors de généraliser le culte décadaire, menacé de plus en plus par le repos dominical réclamé par les travailleurs. Les fonctionnaires doivent chômer obligatoirement le décadi. Les mariages civiques sont célébrés à ce jour en présence des instituteurs et de leurs classes. La popularité retombe vite, après des affluences considérables au départ.

Il reste à multiplier les fêtes. Après la commémoration du 9 thermidor, de grandes fêtes allégoriques sont prévues, à l'Amour, la Reconnaissance, la Régénération, aux Epoux et aux Vieillards. Entre le peuple spectateur et les organisateurs des fêtes une ségrégation de fait s'établit : « Si les masses n'ont pas adhéré au rituel c'est qu'elles ne s'y sentaient pas intégrées » (Woronoff).

Un fossé culturel intact

Les tentatives d'art populaire sont loin. Sans retourner à l'académisme pur, les artistes renouent avec les thèmes allégoriques et antiques des débuts de la révolution. Beaucoup d'artistes engagés en l'an II ont été inquiétés. La plupart ont renié leurs engagements antérieurs, en modifiant leur inspiration. M.-J. Chénier ne produit plus de pièces révolutionnaires ; il se consacre à l'histoire littéraire. J.-L. David expose après 1795 le portrait d'une famille bourgeoise et un grand tableau sur *les Sabines*, de facture grecque, sans relation avec les événements. Pour ces porte-parole de la « révolution culturelle », sauvés par leur notoriété, le contact avec les masses est rompu. Lorsque Topino-Lebrun présente au salon de 1798 *la mort de Caïus Gracchus*, il est attaqué pour la référence aux Egaux et à « Gracchus Babeuf ». L'art tend à se reproduire en vase clos au sein de l'élite, comme sous l'ancien régime.

Les mentalité et culture populaires évoluent cependant. Des ruptures définitives avec la religion se produisent depuis la déchristianisation. Dans des régions comme l'Allier, la Nièvre, la Seine-et-Oise, la Champagne, se sont développés les refus de sacrements, les mariages et les conceptions hors des règles d'église. Des futures « terres de mission », réputées pour l'indifférence et l'anticléricalisme de leurs populations se dégagent : villes manufacturières comme Roubaix, Rouen... La déchristianisation a renforcé les contrastes de religiosité entre les zones favorables et les régions de résistance religieuse.

La culture populaire a assimilé en partie les principes révolutionnaires antérieurs : Droits de l'homme, symboles. Mais des besoins culturels nouveaux s'affirment après l'arrêt de littérature traditionnelle de colportage (Bibliothèque bleue et almanachs astrologiques), la diminution des chants civiques et la disparition du théâtre populaire. Le public goûte les romans noirs, les comédies larmoyantes et les opéras-comiques comme Mme Angot, au succès éclatant par sa satire des nouveaux riches. Des formes de culture et de fêtes de l'Ancien Régime ressurgissent plus ou moins modifiées. En Provence, la reprise des « bravades » et des « romérages » témoigne de l'usure des fêtes révolutionnaires, si rien n'est tout à fait comme avant.

En 1799, l'écart social entre les élites et le peuple demeure. Deux mondes, deux éducations, deux cultures se côtoient sans se comprendre. L'historien peut légitimement douter de la réalité de la révolution culturelle de l'an II.

LE BILAN DE LA RÉVOLUTION CULTURELLE

Une historiographie hostile

La réalité a été masquée par la campagne de discrédit de l'an II par les gouvernements suivants. La classe politique et artistique a déclenché un concert d'injures, par sincérité ou opportunisme. Elle a fourni une information massive aux historiens du XIXe siècle, même ceux du peuple, comme Louis Blanc et Michelet. Elle a inspiré surtout Taine, l'auteur célèbre des *Origines de la France contemporaine*, rédigées entre 1876 et 1893, sous le choc de la Commune. Taine est le meilleur représentant des « honnêtes gens », par le brio des analyses, la qualité du style. Il fera école malgré le caractère polémique et circonstanciel de son œuvre.

Pour disqualifier les Jacobins de l'an II, Taine fait l'éloge des Girondins : « parmi les républicains ceux-ci sont les plus estimables et les plus croyants... de tels hommes ne peuvent souffrir à demeure la dictature inepte et grossière de la canaille armée ». Il tente un portrait psycho-pathologique des Jacobins : « charlatans politiques... ils naissent dans la décomposition sociale ainsi que des champignons dans un terreau qui fermente... l'équilibre normal des facultés et des sentiments s'est renversé... tout leur vocabulaire politique consiste en une centaine de mots... des cerveaux malsains ». Ce ton haineux s'affirme tout au long de l'ouvrage. L'accusation de Terreur est reprise constamment : « confiscation, emprisonnement, noyades, guillotine... dès le commencement ils ont lâché contre la société l'émeute des rues et la jacquerie des campagnes, les prostituées et les brigands, les bêtes immondes et les bêtes féroces ». L'injure accède ici à la dignité d'analyse historique.

Il reste à discréditer les sans-culottes, le peuple militant : « La vermine antisociale... des vilaines figures, terreuses, noires... la canaille épileptique et scrofuleuse... sa dégénérescence, l'imbécillité, l'affolement de son tempérament délabré, de ses instincts rétrogrades et de son cerveau mal constitué ». La répétition de calomnies éloquentes produit toujours de l'effet. Nous avons relu avec stupeur des dizaines de descriptions sur le même mode. Comme les archives des sociétés et organisations populaires ont souvent été détruites, ces accusations de violences et de vandalisme ont été reprises particulièrement pour les armées révolutionnaires, « Hordes destructrices » (Louis Blanc), et les comités révolutionnaires : « la vindicte sauvage et l'envie brutale qui marquent les visages des faubouriens » (Cobb).

Ainsi s'expliquent des retards dans la connaissance du jacobinisme et du mouvement populaire. Les Enragés et les Egaux ont été découverts par l'historiographie étrangère avant de passer dans la recherche française. Il a fallu attendre 1950 pour que l'autonomie du mouvement sans-culotte à l'égard du gouvernement soit établie.

Les retards ont été plus importants encore pour l'histoire des femmes, longtemps écrite à contre-sens. Quant à la déchristianisation, plusieurs volumes ne suffiraient pas à contenir les anathèmes d'une historiographie religieuse, estimable pour l'histoire des résistances, mais violemment polémique.

L'explication du phénomène est simple. La Révolution fonde en grande partie nos traditions et nos comportements idéologiques. Admettre la pression d'un mouvement sansculotte autonome, c'est enraciner la tradition historique d'un pouvoir populaire même limité. C'est le légitimer aux yeux du peuple contemporain par la mémoire collective. D'où la volonté pour les libéraux de dissocier à tout prix deux révolutions : celle de 1789, belle, estimable et celle de l'an II, la révolution « haïssable », dont une condamnation globale évite l'étude du contenu.

Réalité de la révolution culturelle

Pourtant la révolution culturelle a bien été ébauchée en l'an II, période où l'élite montagnarde s'est appuyée sur le mouvement des sans-culottes. Des organisations populaires ont disposé d'un pouvoir largement autonome d'administration et d'autorité locale. Leur programme égalitaire a été repris par le gouvernement. Pendant quelques mois, la sécurité matérielle du peuple et le droit à l'existence prioritaire sur la propriété du riche ont été respectés. Les Jacobins et les sans-culottes ont tenté la régénération culturelle et morale de la population. La destruction idéologique de vestiges de l'Ancien Régime s'est accompagnée de la diffusion massive de nouvelles valeurs, laïques, patriotiques, civiques et morales.

Pour transformer les mentalités, les Montagnards se sont servis des moyens écrits ou oraux : langue, affiches, chansons, art, fêtes et spectacles. Il est apparu un art populaire du théâtre et de l'estampe, reflétant le rapprochement avec les sans-culottes. Les façons de vivre et de penser des Français se sont modifiées à tous les niveaux. La famille a été remise en cause avec le divorce, la participation féministe, l'égalité des enfants naturels, les prénoms révolutionnaires. La vie quotidienne a changé avec le calendrier républicain, l'interruption du culte, les jeux de société. Le peuple militant a imposé un moment ses mœurs, son langage, son costume, ses relations égalitaires à des élites désemparées.

La révolution culturelle est restée cependant inachevée, condamnée à l'échec. Parce qu'elle a été définie et relayée par des minorités, même agissantes. Parce qu'elle a anticipé sur l'état réel des mentalités et des distances dans la société française. Parce qu'un pouvoir populaire, autonome par ses organisations et sa pratique a menacé à terme l'hégémonie de la bourgeoisie montagnarde. L'affrontement sur la déchristianisation, propagée par les sans-culottes, a conduit à la reprise en main du mouvement par les Montagnards. Les Thermidoriens et le Directoire ont tenté ensuite d'effacer toute trace de son influence pour légitimer leur pouvoir et l'exclusion du peuple.

Leçons de la révolution culturelle

De cette période particulièrement féconde, l'historien peut tirer quelques leçons provisoires.

Les Montagnards n'étaient pas des socialistes, loin s'en faut. Mais leurs concessions au programme d'économie dirigée des sans-culottes ont débordé le cadre strict de la révolution bourgeoise. L'an II fut le moment où le mouvement populaire put se rapprocher de l'égalité, par la réquisition, la taxation et le droit pour chaque être de vivre indépendant. Après 1794, les inégalités ont resurgi. La France est demeurée de nos jours l'un des pays les plus inégalitaires. Les proclamations d'égalité des chances ont permis de jeter un voile sur des inégalités considérables de revenus, de patrimoines et de privilèges, sur la faible mobilité sociale de notre système libéral avancé, de 1795 à nos jours.

La Révolution française fut fille des Lumières et de la philosophie. Les nouvelles élites dirigeantes sont celles du mérite et des talents. Les principes et les valeurs du nouveau régime ont été affirmés sous l'influence d'intellectuels, de savants et d'artistes. L'an II est l'un des rares moments de notre histoire où un compromis d'intellectuels et de militants a ébauché les lignes d'une culture, d'un art à participation populaire. De 1795 à nos jours, le fossé culturel entre l'intelligentsia et le peuple est resté considérable.

La révolution culturelle a révélé ou annoncé des mutations des mentalités. La France est actuellement l'un des pays où la pratique religieuse est la plus faible. Dans l'explication de ce

Venez voir *La Réligion*

pour 2C

os pères et mères

phénomène, l'étude de la déchristianisation de l'an II s'impose avec ses nuances régionales.

La France est le pays où les populations ont pour la première fois limité massivement les naissances. Les démographes datent de l'an II, pourtant nataliste, la généralisation à terme des comportements restrictifs dans les régions touchées par la laïcisation de l'état civil, la désacralisation du mariage, le refus des prescriptions religieuses sur les sacrements et la procréation. Une révolution silencieuse s'est amorcée dans nombre de familles.

Devenir de la révolution culturelle

Dans d'autres domaines, la révolution culturelle a anticipé sur des problèmes récents. Les luttes féministes pour la participation politique ont une résonance moderne. La législation familiale de l'an II ne sera reprise que lors de la Ve République. L'égalité de la femme et de l'homme dans le couple, les droits des mères célibataires sont réaffirmés en 1970 seulement. La loi libérale sur le divorce de décembre 1793 sera abandonnée dans le Code civil de 1804 pour ne resurgir que le 11 juillet 1975, après plus de cent quatre-vingts années. Le décret de l'an II sur les enfants naturels ne trouvera son équivalent qu'en janvier 1972.

D'autres tentatives de révolution culturelle ont laissé des traces tenaces, des échos assourdis. On parle un peu aujourd'hui des mariages des prêtres, nombreux, souvent spontanés, en l'an II. Les curés rouges annoncent les prêtres ouvriers. Les tentatives de création d'un théâtre populaire, de Romain Rolland en 1910 ou de 1936, s'inspirent du théâtre « de par et pour le peuple » de 1793. Aucune révolution n'a connu l'équivalent de la campagne de prénoms révolutionnaires de l'an II. Pourtant de multiples références d'éditions (*Floréal* et *Messidor*), de romans comme *Germinal* montrent leur enracinement dans la mémoire collective.

L'an II a marqué durablement l'histoire du peuple français. Chaque période de promotion politique et sociale le rappelle. La révolution de 1848 et la Commune de 1871 ont renoué avec le calendrier républicain, la presse, les sociétés populaires, des pratiques et des symboles de la révolution culturelle. 1936, 1968 ont multiplié des références aux fêtes nationales, aux prénoms révolutionnaires, aux Enragés et à la démocratie directe. Lorsque des ouvriers de Montceau refusent de travailler, le 14 juillet 1882, et s'acharnent sur les statues de saints, quatre-vingt-dix ans après la déchristianisation, on s'interroge sur les cheminements étranges de l'histoire. Restituer à la révolution culturelle de l'an II sa dimension masquée par une histoire hostile était le but de cet ouvrage.

Il l'aura atteint s'il aide à comprendre une époque où les sans-culottes, en bonnets rouges et pantalons, ont tenté de changer la vie et les mentalités, de créer une société plus égalitaire où le peuple serait enfin à la « hauteur » de la Révolution et des élites.

CHRONOLOGIE POUR LES

AN-NÉE	CALENDRIER RÉVOLUTIONNAIRE	DATE	POLITIQUE INTÉRIEURE
1794	2ᵉ sans culottide	18 septembre	
	5ᵉ sans culottide	21 septembre	
	An III	septembre	
	29 Brumaire	19 novembre	Fermeture du Club de Jacobins
	4 Nivose	24 décembre	
1795	20 Pluviose	8 février	
	Pluviose	février	
	12 Germinal	1ᵉʳ avril	Journée de la faim
	30 Floréal	19 mai	*Insurrection du peuple...*
	1ᵉʳ Prairial	20 mai	Journée de la faim
	4 Prairial	23 mai	Désarmement du peuple
	8 Prairial	27 mai	
	AN IV		
	1ᵉʳ Vendémiaire	23 septembre	Vote de la Constitution de l'an III
	13 Vendémiaire	5 octobre	Echec d'une insurrection royaliste
	3 Brumaire	25 octobre	
	4 Brumaire	26 octobre	Séparation de la Convention
	9 Frimaire	30 novembre	
	Frimaire	décembre	Organisation des Egaux
1796	Ventose	mars	
	10 Germinal	30 mars	Un comité d'insurrection des Egaux
	Germinal	avril	
	15 Germinal	4 avril	
	21 Floréal	10 mai	Arrestation des Egaux
1797	AN V		
	Nivose	8 janvier	
	16 Pluviose	4 février	
	7 Prairial	26 mai	Exécution des Egaux
	Fructidor	août	
	18 Fructidor	4 septembre	Coup d'Etat du Directoire
1798	AN VI		
	22 Floréal	11 mai	
1799	AN VII		
	30 Prairial	18 juin	Coup d'Etat des Conseils
	19 Brumaire	10 novembre	Coup d'Etat de Bonaparte

CHAPITRES VII ET VIII

ÉCONOMIE ET SOCIÉTÉ	CULTURES, MENTALITÉS
	Séparation de l'Eglise et de l'Etat Les restes de Marat transférés au Panthéon Création de l'Ecole Polytechnique Création de l'Ecole Normale Supérieure
Libération des prix des denrées	
	Retrait du Panthéon des restes de Marat Création des Ecoles centrales
Ration de pain 2 onces : 80 g/personne	
Renfermement des femmes	
	Triomphe de l'*Intérieur des comités révolutionnaires*
	Loi Danton sur l'enseignement
Manifeste des Plebeiens	
Fin de l'assignat	
Manifeste des Egaux	
	Première séance de l'Institut
	Début de la Théophilantropie
Fin du papier monnaie	
	Concile de l'Eglise constitutionnelle
Réprise des lois contre les émigrés	Reprise des lois contre les prêtres *La mort de Caius Gracchus* (Topino-Lebrun)

Le catéchisme des jeunes martyrs de l'an II.

Guide de travail

Faute de pouvoir citer tous les ouvrages utilisés, on se limitera aux titres essentiels, indiqués dans l'ordre des chapitres et des analyses.

OUVRAGES GÉNÉRAUX

P. Goubert : *L'Ancien Régime*, 1969 et 1973, A. Colin.
A. Soboul : *Précis d'histoire de la Révolution française*, Editions Sociales, 1975.
M. Vovelle : *La chute de la monarchie*, 1972, Le Seuil.
M. Bouloiseau : *La république jacobine*, 1972, Le Seuil.
D. Woronoff : *La république bourgeoise*, 1972, Le Seuil.
F. Hincker, C. Mazauric : *1789-1799, Histoire de la France contemporaine*, t. I, 1978, Editions Sociales.
F. Furet et D. Richet : *La Révolution française*, 1965, Hachette.

CHAPITRE I

D. Mornet : *Les origines intellectuelles de la Révolution française*, 1933, A. Colin.
A. Dupront : *Livre et société dans la France du XVIIIᵉ siècle*, 1965 - 70 CDU.
A. Soboul : *La France à la veille de la Révolution*, 1974, Sedes.
G. Chaussinand-Nogaret : *La noblesse au XVIIIᵉ siècle*, 1976, Hachette.
M. Peronnet : *La France au temps de Louis XVI*, 1967, Julliard.

CHAPITRE II

S. Mercier : *Le tableau de Paris*, Edition de 1979, Maspero.
A. Soboul : *La civilisation de la Révolution française*, t. I, 1971, Arthaud.
A. Farge : *Vivre dans la rue, à Paris au XVIIIᵉ siècle*, 1979, Gallimard.
D. Roche : *Le peuple de Paris*, 1981, Aubier.
F. Braudel et E. Labrousse : *Histoire économique et sociale de la France*, t. II, 1970, PUF.
R. Chartier, D. Julia et Revel : *L'éducation en France du XVIᵉ au XVIIIᵉ siècles*, 1976, Sedes.
A. Vial : *Les instituteurs*, 1980, Delarge.
R. Mandrou : *De la culture populaire en France aux XVIIᵉ et XVIIIᵉ siècles*, 1964, Seghers.

La révolution culturelle de l'an II

G. Bollème : *La Bibliothèque Bleue*, 1971.

G. Lebras : *Etudes de sociologie religieuse*, 1955, PUF.

M. Vovelle : *Les métamorphoses de la fête en Provence*, 1976, Aubier Flammarion.

J. Kaplow : *Les noms des rois*, 1974, Maspero.

CHAPITRE III

G. Lefebvre : *La Grande Peur*, 1932, Editions Sociales.

H. Luxardo : *Les paysans*, 1982, Aubier.

P.M. Duhet : *Les femmes et la révolution française*, 1971, Julliard.

M. Ozouf : *La fête révolutionnaire*, 1976, Gallimard

J. Godechot : *Histoire générale de la presse française*, 1968, t. I, PUF.

A. Dansette : *Histoire religieuse de la France contemporaine*, 1965, Flammarion.

J. et E. de Goncourt : *Histoire de la société française*, édition de 1889, Quantin.

G. Rude : *The crowd in French revolution*, 1959, Clarendon.

D. Hamiche : *Le théâtre de la Révolution française*, 1973, 10-18.

CHAPITRE IV

A. Soboul : *Les sans-culottes*, 1968, Seuil.

R. de Chateaubriand : *Les mémoires d'outre-tombe*, édition 1963, Rencontre.

J. Godechot : *La contre-révolution*, 1961, PUF.

R. Cobb : *La protestation populaire en France*, 1975, Calman Lévy.

— *Les armées révolutionnaires, instruments de la terreur*, 1961 - 63.

W. Markov : *J. Roux, Acta et scripta*, 1969, Berlin.

D. Guérin : *La lutte de classes sous la Ire République*, 1968, Gallimard.

F. Brunot : *Histoire de la langue française*, t. 9 et 10, 1929, A. Colin.

M. Garaud : *La Révolution française et la famille*, 1978, PUF.

J. Sandrin : *Enfants trouvés, enfants ouvriers*, 1982, Aubier.

M. Cerati : *Le club des Citoyennes révolutionnaires*, 1966, Editions Sociales.

CHAPITRE V

A. de Tocqueville : *L'Ancien régime et la Révolution*, édition 1964, Gallimard.

J. Leflon : *La crise révolutionnaire*, t. 20 de *L'histoire de l'Eglise*, 1951, Bloud et Gay.

E. Despois : *Le vandalisme révolutionnaire*, 1868, F. Alcan.

Guide de travail

G. Sprigath : « *Sur le vandalisme révolutionnaire* », AHRF, 1980.

M. Vovelle : *Religion et révolution : la déchristianisation de l'an II*, 1976, Hachette.

S. Blondel : *L'art sous la Révolution française*, 1887, H. Laurens.

J. Renouvier : *Histoire de l'art pendant la Révolution*, 1863, Renouard.

A. Soboul et Gobel : « *Les almanachs de la Révolution* », AHRF, 1978.

R. Brécy : « *La chanson révolutionnaire* », AHRF, 1980.

F. Robert : « *La musique de la révolution française* », AHRF, 1975.

L. Damade : *Histoire chantée de la Ire République*, 1892, P. Schmidt.

R. Rolland : *Le théâtre du peuple*, 1913, Hachette.

P. d'Estrées : *Le théâtre sous la Terreur*, 1915, Emile Paul.

CHAPITRE VI

M. de Certeau et D. Julia : *Une politique de la langue*, 1975, Gallimard.

R. Balibar et D. Laporte : *Le français national*, 1974, Hachette.

J. Starobinski : *1789 : Les emblèmes de la Raison*, 1964, Skira.

E. Biré : *Journal d'un bourgeois de Paris pendant la terreur*, 1909, Perrin.

R. de Figuères : *Les noms révolutionnaires des communes de France*, 1901, Furstenberg.

M. Dommanget : *La déchristianisation à Beauvais et dans l'Oise*, Millot frères, 1918 - 1922.

J. Dupaquier : *La population française aux XVIIe et XVIIIe siècles*, 1979, Que Sais-Je ?

A. Aulard : *Le christianisme et la révolution*, 1925, Rieder.

CHAPITRE VII

J. Roux : *Le Publiciste de la République française*, Edition Edhis, 1981.

V. Daline : *Gracchus Babeuf à la veille et pendant la grande Révolution française*, 1976, Editions du Progrès, Moscou.

L. Devance : « *Le féminisme dans la Révolution française* », AHRF, 1977.

S. Bianchi : « *Essai d'interprétation de la déchristianisation de l'an II* », AHRF, 1978.

F. Gendron : *La jeunesse dorée*, 1979, Les Presses de l'Université de Québec.

K. Tonnesson : *La défaite des sans-culottes*, 1959, Presses Universitaires d'Oslo.

La révolution culturelle de l'an II

C.P. Ducancel : *L'Intérieur des comités révolutionnaires,* 1795, Barba.

CHAPITRE VIII

Kennedy et Netter : *Les écoles primaires sous le Directoire,* AHRF, 1981.

M. Reinhart : *La Révolution,* 1971, Hachette, Nouvelle histoire de Paris.

D. Julia : *Les trois couleurs du tableau noir, la Révolution française,* 1981, Belin.

F. Gauthier : *La voie paysanne dans la Révolution française,* 1977, Maspero.

M. Dommanget : *Babeuf et la conjuration des Egaux,* 1969, Spartacus.

C. Mazauric : *Babeuf et la conspiration pour l'égalité,* 1962, Editions Sociales.

A. Mathiez : *La théophilantropie et le culte décadaire,* 1904, F. Alcan.

P. Bordes : « *Les arts après la Terreur* », Revue du Louvre, 1979.

H. Taine : *Les origines de la France contemporaine,* édition 1947, Hachette.

LES REVUES UTILISÉES

— *Les Annales Historiques de la Révolution française,* avec des numéros spéciaux sur Babeuf (1963), La fête révolutionnaire (1975), La déchristianisation (1978), Joseph Bara (1980).
— *Le Peuple français,* les numéros 7 et 13 de l'ancienne série (1973 et 1974), le numéro 23 de la nouvelle (1980).
— *Gavroche,* numéro 1 (1982).
— *Les Annales historiques compiégnoises* (1979 et 1980).

LES ARCHIVES PRINCIPALES

— Actes de la Commission d'instruction publique.
— Arrêtés du Comité de Salut public.
— Registres de délibération des municipalités sur les fêtes et la déchristianisation.
— Registres d'état-civil des municipalités pour les prénoms révolutionnaires.
— Rapports des agents de police de l'an II et de l'an III.
— Affiches et chansons révolutionnaires.
— Estampes de la Bibliothèque nationale et du musée Carnavalet.

La révolution culturelle de l'an II concerne de nombreux domaines sociaux, idéologiques, culturels, artistiques et religieux. La spécialisation ou la dispersion des ouvrages rendent la synthèse délicate. Mais les archives et les estampes sont suffisamment abondantes pour comprendre cette page de notre histoire, qui mérite sa place particulière dans la mémoire collective du peuple français.

Table

CRÉDITS PHOTOGRAPHIQUES :

Bibliothèque Nationale : pp. 4, 9, 14-15, 30, 35, 36, 52, 64, 70, 74, 79, 90, 95, 99, 102, 105, 111, 123, 125, 134, 142, 143, 151, 158, 171, 185, 199, 206-207, 210, 226, 233, 235, 242, 250, 258, 261, 263, 271, 272, 281, 292-293. *Archives Nationales* : pp. 108, 152, 194, 298. *Serge Bianchi* : pp. 44, 53, 59, 83, 133, 137, 141, 169, 176, 236.

Achevé d'imprimer en septembre 1982
sur les presses de l'imprimerie
Corbière et Jugain à Alençon (Orne)
n° d'éditeur : 1647
n° d'imprimeur : 20 457

Dépôt légal : octobre 1982